QUAND MÊME
UN PEU
LA VIE COMPLIQUÉE
D'ALEX GRAVEL-CÔTÉ

· ALEX POUR LES NULS ·

CATHERINE GIRARD-AUDET

Québec ⊞⊞

Crédit d'impôt livres   Gestion SODEC

Gouvernement du Québec – Programme de crédit d'impôt
pour l'édition de livres – Gestion Sodec

Nous reconnaissons l'aide financière du gouvernement du Canada par l'entremise
du Fonds du livre du Canada pour nos activités d'édition.

La vie quand même un peu compliquée d'Alex Gravel-Côté
© Les éditions les Malins inc., Catherine Girard-Audet
info@lesmalins.ca

Directrice littéraire : Ingrid Remazeilles
Éditeur : Marc-André Audet
Illustration et conception de la couverture : Veronic Ly
Photographie de Catherine : Marc-André Audet
Directrice artistique : Shirley de Susini
Mise en page : Diane Marquette

Dépôt légal – Bibliothèque et Archives nationales du Québec, 2017
Dépôt légal – Bibliothèque et Archives Canada, 2017

ISBN : 978-2-89657-481-0

Imprimé au Canada

Les éditions les Malins inc.
Montréal, QC

QUAND MÊME
UN PEU

LA VIE ∧ COMPLIQUÉE
D' ALEX GRAVEL-CÔTÉ

· ALEX POUR LES NULS ·

CATHERINE GIRARD-AUDET

À tous les gars de mon entourage et à tous ceux que j'ai fréquentés dans ma vie et qui m'ont appris plein de choses. Merci de m'avoir aidée à relever ce gros défi et à me mettre dans votre peau. J'espère que ce roman aidera les filles à mieux vous comprendre ! 😉

Chapitre 1:
Vérité ou conséquence

Lundi 24 août, 18 h 11

Ma soeur est conne. Ma soeur est conne.
Ma soeur est conne. Ma soeur est conne.
Ma soeur est conne. Ma soeur est ~~~~ conne.
Ma soeur est conne. Ma soeur est conne.
Ma ⬤ soeur est conne. Ma soeur est conne.
Ma soeur est conne. Ma soeur est conne.
Ma soeur est conne. ~~~~ Ma soeur est conne.
Ma soeur est conne. Ma soeur est conne.
Ma soeur est conne. Ma soeur est conne.
Ma soeur est conne. Ma soeur est conne.
Ma soeur est ~~conne~~ conne. Ma soeur est conne.
~~~~ Ma soeur est conne. Ma soeur est conne.
Ma soeur est conne. Ma soeur est conne.
Ma soeur est conne. Ma soeur est conne.
Ma soeur ⬤ est conne. Ma soeur est conne.
Ma soeur est conne. Ma soeur est conne.
Ma soeur est conne. Ma soeur est conne.
Ma soeur est conne. Ma soeur est conne.
Ma soeur est conne.

Ma soeur vient de voir ce que j'écris. Ma soeur est fru. Ma soeur m'engueule. Ma soeur me force à faire un résumé de ma dernière semaine.

Bla Bla Bla Bla Bla Bla Bla Bla Bla Bla Bla Bla Bla Bla Bla Bla Bla Bla Bla Bla Bla Bla Bla Bla Bla Bla Bla Bla Bla Bla Bla Bla Bla Bla Bla Bla Bla Bla Bla Bla Bla Bla Bla Bla Bla Bla Bla Bla Bla Bla Bla Bla Bla Bla Bla Bla Bla Bla Bla Bla Bla Bla Bla Bla Bla Bla Bla Bla Bla Bla Bla Bla Bla Bla Bla Bla Bla Bla Bla Bla Bla Bla Bla Bla Bla.

Ma soeur capote parce que je ne prends pas son projet au sérieux. Ma soeur me frappe avec un oreiller. Ma soeur me donne des bines. Ma soeur crie. Ma soeur pleure. Ma soeur menace de me raser les jambes dans mon sommeil.

Cher journal,
Sache tout d'abord que je trouve ça complètement débile de t'écrire, mais comme ma soeur est plantée à trois centimètres de moi, je n'ai pas le choix de le faire. Madame s'est en effet mis dans la tête de m'utiliser comme cobaye dans son cours de psychologie au cégep. Je suis un peu comme son rat de laboratoire. Et comme elle se prend déjà pour Freud et qu'elle veut prouver à tous les profs qu'elle est un génie et qu'elle mérite d'être acceptée dans le programme contingenté (ça, c'est son vocabulaire, pas le mien) de l'université, il n'y a pas moyen de lui faire comprendre que même si j'ai perdu mon pari, sa théorie du journal intime est nulle. Je n'en sortirai pas « complètement changé et beaucoup plus mature ».

Tout a commencé à la fin de l'année scolaire lorsque ma soeur a décidé d'organiser un party alors que mon père était en congrès avec sa blonde et mon demi-frère. Elle a tellement insisté pour que je parte avec eux que j'ai deviné qu'elle tramait quelque chose pendant leur absence.

Ma soeur : Tu devrais aller te reposer avec papa, Brigitte et Léo. Tu as l'air fatigué.
Moi (en jouant à la Wii) : De quoi tu parles ? Je suis en vacances depuis une semaine et je ne fais rien d'autre que dormir.
Ma soeur : Ouais, mais je sens que le stress de tes examens finaux te hante encore. Tu as l'air tendu.
Moi : Lâche-moi avec tes chakras !
Ma soeur (en prenant la manette et en appuyant sur pause) : Tu mélanges tout, Alex ! C'est mon cours en psychologie du développement qui m'a ouvert les yeux.
Moi (en la défiant du regard) : Manu, je sais très bien que si tu insistes pour que je décolle en fin de semaine, ça n'a rien à voir avec mon bien-être ou avec le positionnement de mes centres d'énergie. Tout ce que tu veux, c'est avoir la maison pour organiser un mégaparty.

Ma soeur (en devenant écarlate): Pff!
Pantoute!

Moi (en riant): Tu mens tellement mal! J'ai vu tes textos. Je sais que tu attends une trentaine de personnes samedi soir.

Ma soeur (en me lançant un coussin): Tu as *encore* fouillé dans mes affaires? T'es tellement épais!

Moi (en me protégeant avec la main): Relaxe! Je voulais juste avoir le numéro de téléphone de Jasmine.

Ma soeur: Combien de fois vais-je devoir te répéter qu'elle est trop vieille pour toi?

Moi (en haussant les épaules): Elle a sauté un an.

Ma soeur: Elle a quand même dix-sept ans, et toi, quatorze.

Moi: *Come on,* Manu! Aie pitié de moi! Je suis amoureux de ton amie depuis des mois et j'ai besoin de ton aide!

Ma soeur (en éclatant de rire): Toi, amoureux? N'importe quoi!

Moi: Qu'est-ce que tu en sais?

Ma soeur: Alex, tu flushes tes conquêtes avant même d'avoir mémorisé leurs prénoms.

Moi : Tu exagères.

Ma soeur : Du tout. La preuve, c'est que je t'ai vu aller au cinéma avec au moins quatre filles différentes depuis Noël.

Moi : Je suis sorti officiellement avec deux d'entre elles, tu sauras !

Ma soeur : Tu veux parler de Marianne, qui habite à l'autre bout du monde, et de Florence, qui n'était en ville que pour un week-end ?

Moi (en m'efforçant de garder mon sérieux) : Oui. Et leur départ m'a brisé le coeur.

Ma soeur : Tu sais ce que je pense ?

Moi : Que je suis extraordinaire et que tu n'arrives pas à croire ta chance de m'avoir comme frère ?

Ma soeur : Non. Je crois que le divorce de nos parents t'a laissé une cicatrice émotive qui t'empêche d'être sérieux avec une fille.

Moi : Papa et maman se sont séparés quand j'avais trois ans, Manu.

Ma soeur : Ce n'est pas parce que tu ne t'en souviens pas que ça ne t'a pas marqué.

Moi : Tu n'as aucune preuve de ce que tu avances.

Ma soeur : Au contraire. Comme j'avais presque huit ans, je me rappelle encore clairement que tu pleurais tous les soirs.

Moi : Ça m'a peut-être fait de la peine sur le coup, mais comme on a la famille recomposée la plus zen de la planète, je ne considère pas que leur rupture m'ait traumatisé.

Mes parents se sont effectivement séparés de façon amicale et sont toujours restés en bons termes. Ma mère est du genre à aller magasiner avec Brigitte, la blonde de mon père, pendant que mon paternel et Patrick, le nouveau mari de ma mère, discutent d'actualité en buvant une bière. Il nous est même arrivé de célébrer Noël tous ensemble. Rien de bien déchirant comme situation.

Ma soeur : N'en demeure pas moins que ton exemple d'union familiale s'est soldé par un échec et que tu as été confronté à la dissociation du couple dès ta petite enfance. Comment veux-tu croire en l'amour après une telle expérience ?

Moi : J'ai quatorze ans, Manu. Je ne suis pas censé chercher une mère pour mes enfants !

Ma soeur (en poursuivant sur sa lancée) : Ça, c'est sans compter l'impact que l'arrivée de Léo, de Juliette et de Camille a dû avoir sur toi. En plus de composer avec l'éclatement de la cellule familiale, il a fallu que tu gères l'éparpillement de l'attention parentale.

Elle faisait allusion à notre demi-frère Léo, issu de l'union entre Brigitte et mon père, et de nos demi-soeurs Camille et Juliette, des jumelles que ma mère a mises au monde il y a trois ans.

Moi : C'est plutôt l'éclatement de ton cerveau qui m'inquiète.

Ma soeur (en s'assoyant près de moi et en posant une main sur mon épaule) : Après tout ce que tu as vécu, pas étonnant que tu ne sois pas capable de t'engager dans une relation pendant plus de quatre jours.

Moi : Dans mon livre à moi, on appelle ça du long terme.

Ma soeur (sans m'écouter) : Mon pauvre petit frère. Une chance que je suis là pour percevoir ton mal de vivre et t'aider à te remettre sur le droit chemin.

Moi : C'est officiel : tu es folle.

Ma soeur : Non. Juste très perspicace.

Moi : Manu, réalises-tu que si on se fiait à ton hypothèse, ça voudrait dire que tous les enfants du divorce, ce qui représente cinquante pour cent des jeunes, auraient de la difficulté à s'engager dans une relation interpersonnelle ?

Ma soeur : Non. Juste ceux qui sont plus fragiles, comme toi.

Moi : Es-tu en train de me dire que tu es plus équilibrée que moi ?

Ma soeur : Tout à fait. La preuve, c'est que je sors avec Julien depuis deux ans et que je n'ai aucune peur de l'engagement.

Moi : Tant mieux pour toi. Moi, je ne suis pas fan des histoires compliquées.

Ma soeur : L'amour n'a pas besoin d'être complexe.

Je l'ai regardée en plissant les yeux.

Moi (en m'efforçant d'avoir l'air sérieux): Tu as raison, Manu. Mon problème, c'est que je n'ai pas encore rencontré la fille idéale. Mais la bonne nouvelle, c'est que je sens que le vent va bientôt tourner.

Ma soeur: Pourquoi?

Moi: Parce que Jasmine craquera enfin pour moi à ton party samedi soir.

Ma soeur (en changeant de ton): Décroche, Alex. Tu ne l'intéresses pas. À ses yeux, tu n'es qu'un enfant.

Moi: Pff. Je suis sûr qu'elle me trouve *cute*. Ça paraît quand elle me regarde.

Ma soeur: Tu rêves en couleurs.

Moi: Veux-tu parier?

Ma soeur (en me tendant la main): OK.

Moi: Si je gagne, tu me laisses la chambre au grenier chez maman.

Ma soeur: Es-tu fou?! Il est hors de question que je te cède mon havre de paix.

Moi: Tu as juste à trouver une mise aussi importante. Quelque chose qui te ferait VRAIMENT plaisir en cas de victoire.

Ma soeur (en souriant): Bingo!

Moi : Tu veux que je m'occupe du lave-vaisselle pendant les deux prochains mois ?

Ma soeur : *Nope*.

Moi : Hum… Que je sorte les vidanges à ta place tout au long de l'hiver ?

Ma soeur : Mieux que ça.

Moi : Que je t'apprenne à être irrésistible comme moi ?

Ma soeur : Non. Si tu perds, je veux que tu sois mon premier patient.

Moi : Genre dans quinze ans quand tu auras fini ton postdoctorat ? *Deal !*

Ma soeur : Non. À la rentrée. Je veux t'utiliser pour mon projet d'intégration.

Moi : Ça implique quoi, ça ? Que je dois me coucher sur un sofa et te raconter ma vie alors que tu la connais déjà ?

Ma soeur : Non. Le mois dernier, j'ai lu dans une revue scientifique que le fait de se confier à un journal intime pouvait avoir des effets presque aussi bénéfiques qu'une thérapie. J'en ai parlé à mon directeur de programme, et il m'a dit que c'était le thème idéal pour mon projet final, qui, comme tu le sais, compte pour beaucoup dans ma demande d'admission.

Si je présente un travail impeccable, je double mes chances d'être acceptée en psycho à l'université.

Moi (en la regardant d'un air suspicieux): Qu'est-ce que tu veux de moi, au juste?

Ma soeur: Si tu n'arrives pas à *cruiser* Jasmine et à la convaincre de sortir avec toi, je veux que tu me serves de cobaye et que tu écrives dans un journal intime au moins une fois par semaine jusqu'à Noël.

Moi: Est-ce que je peux remplacer l'écriture par des dessins?

Ma soeur: Non. Et tu ne peux pas non plus te contenter d'écrire «ma soeur est conne» cent soixante fois. Je veux des vraies confidences. Sinon, mes résultats vont être faussés.

J'ai réfléchi quelques instants. Même si l'idée de m'épancher sur mes états d'âme me semblait aussi amusante que de me faire piétiner par un troupeau de chèvres, j'étais très confiant de gagner le pari, de séduire Jasmine et de mettre la main sur la chambre au grenier.

Moi: *Deal.*

Ma soeur: Et je veux lire ce que tu écris.

Moi: Je retire ce que je viens de dire. Pas de *deal*. Pas question que tu lises mon « journal ». C'est personnel.

Ma soeur: Tu es mal placé pour jouer les saintes-nitouches! Tu as fouillé dans le mien pendant des années!

Moi (en posant ma main sur mon coeur): Et je vois maintenant à quel point mon geste t'a traumatisée.

Ma soeur: *Bullshit.* Ce n'est pas négociable, Alex. J'ai besoin de consulter tes écrits pour analyser les résultats et noter une potentielle amélioration chez toi.

Moi: Ça va être difficile. Je suis déjà parfait.

Ma soeur: Si c'était le cas, tu n'hésiterais pas à accepter mon *deal*.

Moi (en lui serrant la main): OK, c'est bon. De toute façon, je suis sûr de gagner.

Le soir du party de Manu, je me suis donc mis sur mon trente et un et j'ai invité mon ami José, qui pogne avec les filles. Je me suis dit

que son magnétisme déteindrait sur moi et
qu'il pourrait m'aider à vanter mes mérites.

José (en faisant craquer ses jointures) : Alors, à
qui s'attaque-t-on ce soir ?
Moi (en pointant Jasmine du doigt) : À elle.
José (d'un air admiratif) : Wow. Bon choix. Elle
est vraiment *guapa*.

J'ai grimacé. José est d'origine latino-
américaine, et quand il sort son espagnol, c'est
généralement pour conquérir de nouvelles
proies ou pour amadouer sa blonde.

Moi : Relaxe, don Juan. Ce qu'on veut, c'est
qu'elle tombe amoureuse de *moi* d'ici la fin de
la soirée.
José (en me donnant une tape dans le dos et en
s'éloignant) : J'ai compris. Fais-moi confiance.
Moi : Euh, tu vas où, comme ça ?
José : Je vais me présenter.
Moi : Ce ne serait pas mieux que je
t'accompagne ?

José: Non. On ne veut pas que ç'ait l'air trop arrangé. Laisse-moi faire les premiers pas. Je vais lui dire que je suis ton ami et lancer doucement la conversation. Je te promets que d'ici une heure, elle va craquer pour toi.

J'ai acquiescé sans grande conviction. Bien que son plan m'apparaisse très douteux, je n'avais aucune autre stratégie en tête.

Je suis donc allé m'asseoir dehors et j'ai patienté pendant plus d'une demi-heure.

Ma soeur (en se dressant devant moi et en esquissant un large sourire): Ce n'est pas en restant planté comme un poireau que tu vas obtenir ta chambre au grenier.
Moi (en plissant les yeux): Ne t'en fais pas. Mon plan est déjà en marche.
Ma soeur (en riant): Veux-tu parler de ton ami qui est en train de se coller contre Jasmine?

J'ai écarquillé les yeux et j'ai regagné le salon en vitesse. J'ai alors aperçu José qui était assis sur le sofa à quelques millimètres de ma conquête.

Moi (en m'approchant): José, je peux te parler, deux minutes?
José (en me faisant de gros yeux): Euh, ça ne peut pas attendre?
Moi: Non.

Il m'a suivi dehors.

Moi (en lui donnant une claque derrière la tête): *Man!* Qu'est-ce que tu fais? Je t'ai invité pour que tu m'aides à *cruiser* Jasmine. Pas pour que tu me la voles!
José (en riant et en se frottant les jointures): Désolé, *man*. J'ai essayé de lui vendre tes qualités, mais la conversation en revenait tout le temps à moi. Je pense qu'elle me trouve de son goût.
Moi: Mais tu as déjà une blonde!
José: Maude et moi, on a cassé en mai. Je suis célibataire et je compte bien en profiter.

Moi (découragé): Tu es le pire *wingman* de la Terre.

José: Désolé, *hermano.*

Moi (en le poussant): Débarrasse d'ici! Il ne me reste pas beaucoup de temps pour passer à l'attaque, et je n'y arriverai jamais si tu restes dans les parages.

José (en fronçant les sourcils): Pas question que je parte. Jasmine est à moi, maintenant.

Jasmine (en surgissant derrière nous en compagnie ma soeur): Vous êtes *cute* de vous disputer pour moi, les gars, mais votre chien est mort. José, tu es super gentil, mais tu n'es pas mon genre. Et Alex, non seulement tu n'as que quatorze ans, mais tu es le petit frère d'Emmanuelle. Ce serait juste trop *weird.*

Ma soeur: Merci de ta présence, José. Tu m'as grandement aidée à gagner mon pari. Pour ce qui est de toi, frérot, on se reparlera de mon projet d'ici la fin de l'été.

Les filles ont regagné la maison en riant tandis que je broyais du noir. Je digérais très mal la défaite.

Et me voici deux mois plus tard en train d'en assumer les conséquences, sous le regard satisfait de ma grande soeur. C'est de la torture.

A.

Mardi 1er septembre, 20 h 54

Après une engueulade épique qui a fait capoter ma mère et qui a rendu mes petites soeurs encore plus hystériques que d'habitude, j'ai fini par accepter de collaborer de bonne foi (surtout parce qu'Emmanuelle est assise à côté de moi et menace de verser un verre d'eau sur ma Wii pour me forcer à embarquer sérieusement dans son projet).

L'affaire, c'est que je ne sais pas de quoi parler. Manu m'a suggéré de raconter une tranche de vie. Sur le coup, je me suis dit que tu trouverais ça trop plate, puis j'ai réalisé que, comme tu n'es qu'un journal et que tu n'as aucune opinion, je peux divaguer autant que je le veux. Je vais donc radoter à propos de la rentrée.

On a recommencé l'école aujourd'hui. Je suis dans le même groupe que José et Karl, ce qui est très cool. Il y a aussi Katherine avec nous, mais comme José l'a embrassée l'an dernier alors qu'il sortait encore avec Maude, ça risque de poser des problèmes.

Sophie est aussi dans notre classe. L'affaire, c'est qu'elle a un *kick* sur moi et qu'elle n'arrête pas de m'envoyer des messages très peu subtils, ce qui est parfois lourd, d'autant plus que ce n'est pas réciproque.

Ma soeur vient de lire par-dessus mon épaule, ce qui a mené à une autre dispute. Madame prétend que je suis trop difficile, que Sophie est *cute* et que je devrais lui donner une chance. Elle me gosse. Qu'est-ce que ça peut bien lui faire que je sois célibataire?

Elle ne comprend pas que je n'ai pas le goût d'être en couple. Sans compter que Sophie n'est pas mon genre. Disons que j'ai déjà donné en matière de filles intenses.

Parlant de ça, Marianne est revenue en ville et elle va maintenant à notre école. On s'est fréquentés brièvement pendant la relâche alors qu'elle était en visite, mais ça s'est terminé dès qu'elle est retournée à Vancouver. Je n'avais pas envie de devoir des comptes à une fille qui habite à des milliers de kilomètres de chez moi.

Il y a trois autres nouveaux élèves dans notre niveau : deux gars et une fille qui s'appelle Léa. Comme elle est arrivée en retard à l'auditorium, elle a fait une entrée plutôt remarquée. Elle est blonde, petite et elle a les yeux verts. Même si elle semble un peu réservée, elle dégage quelque chose qui m'a tout de suite plu, ce qui n'a évidemment pas échappé à José.

José (en me donnant un coup de coude) : *Man*, on dirait que tu viens de voir Cara Delevingne débarquer à l'école !
Moi (en chuchotant et en jouant l'innocent) : Hein ? De quoi tu parles ?
José : Je le vois bien que tu as *spotté* la petite nouvelle. Pauvre elle, elle ne sait pas ce qui l'attend !

Moi : Relaxe. Je ne suis pas toi, quand même.

Mon amie Jeanne s'est aussitôt tournée vers nous pour nous faire signe de nous taire.

Nous avons ensuite dû nous taper le discours plate du directeur avant de nous rendre en classe. Ç'a été vraiment difficile de me concentrer. Je trouve que l'été a passé trop vite. Je n'ai pas envie de mettre mon cerveau en marche pour faire des devoirs, ni de perdre des heures à te raconter ma vie.

Sur ce, je vais te laisser. J'espère que ma soeur va me croire quand je lui dirai que je me sens déjà transformé.

A.

Lundi 7 septembre, 11 h 41

J'adore les jours fériés, car ils me permettent de me lever tard. Ce que j'aime moins, c'est quand Emmanuelle me force à écrire dans «mon journal personnel pour m'épancher sur ma sensibilité grandissante».

J'ai beau lui répéter que je n'ai rien à raconter, elle s'obstine pour dire que si «je me donnais la chance de ressentir au lieu de refouler, ça coulerait tout seul».

Des fois, j'ai de la misère à croire qu'on est issus des mêmes parents et qu'on a des gènes en commun. Elle ne comprend pas que les gars, ça ne fonctionne pas comme les filles. Quand je ne me sens pas bien, je joue au hockey ou au basket avec José, je vais faire de la musique avec Alexis ou je regarde un film, et ça passe. Je n'ai pas besoin de me confier et de «faire le vide pour me connecter à mes émotions». Je sais déjà très bien ce que je ressens: de la faim, parce qu'elle n'a pas voulu que je déjeune avant d'écrire, de la colère, parce que je hais son projet à la con, et du découragement, parce que Sophie vient de m'envoyer un autre *Messenger* pour m'inviter chez Maude aujourd'hui. L'affaire, c'est que je n'ai vraiment pas envie de passer l'après-midi à esquiver ses tentatives de rapprochement tout en endurant les engueulades et les réconciliations de José et Maude.

Je viens de te faire lire à Manu, mais elle «n'est pas satisfaite de la qualité de mon travail». Elle dit que je dois aller plus en profondeur.

Elle me pompe vraiment l'air, mais comme je meurs de faim et que je veux me débarrasser d'elle au plus vite, je n'ai pas le choix de l'écouter.

C'est comme ça avec ma soeur. Son acharnement et sa gossantité lui permettent toujours d'obtenir tout ce qu'elle désire. Comme la chambre au grenier chez ma mère ou celle au sous-sol chez mon père.

Elle a même réussi à convaincre Brigitte de
cuisiner végétarien deux fois par semaine
lorsqu'on habite chez elle alors qu'elle sait
pertinemment que j'ai horreur du tofu.

J'imagine que son pouvoir de persuasion
lui a été transmis par ma mère, puisque les
jumelles l'ont contracté, elles aussi. Elles
n'hésitent d'ailleurs jamais à unir leurs forces
pour taper du pied et hurler à pleins poumons
pour faire entendre leurs besoins. Je ne veux
pas paraître sexiste, mais je trouve que les
filles de ma famille obtiennent plus souvent ce
qu'elles veulent que Léo, mon père et moi.

Parlant de mon petit frère, il vient tout juste
de commencer sa première année et je sens
que ça le rend très nerveux. Il m'en a d'ailleurs
glissé un mot hier, au souper.

Moi (en l'observant jouer avec son spaghetti):
Ça va, Léo?
Léo (en haussant les épaules): Correct.
Moi: Qu'est-ce qui se passe?

Léo: J'ai peur d'être rejet à l'école.

Moi: Pourquoi?

Léo: Parce qu'il y a des gars qui prennent beaucoup de place et qui parlent aux filles, alors que moi, je suis trop gêné.

Moi: Tu n'as aucune raison de douter de toi, Léo.

Manu (en s'immisçant dans la discussion): Alex a raison. Tu es adorable.

Léo (en se renfrognant): Je ne veux pas être adorable. Je veux être populaire comme Alex.

Moi (un peu surpris): Ah oui? Tu veux être comme moi?

Manu: Léo, je sais qu'Alex paraît super confiant, mais je t'assure que sous sa carapace, il est rongé par l'insécurité. Je travaille d'arrache-pied pour qu'il développe une plus grande ouverture émotionnelle, mais il est fermé comme une huître. La bonne nouvelle, c'est que tu n'es pas comme lui. Tu es un garçon extraordinaire qui n'a pas peur de se montrer vulnérable. Je crois sincèrement que tu devrais te laisser guider par ta grande sensibilité au lieu de suivre l'exemple de ton grand frère.

J'allais riposter quand Brigitte s'est installée à table et a détourné la discussion sur les projets d'automne. Honnêtement, je trouve ça super flatteur que Léo veuille suivre mes traces. Ça prouve que notre soeur est dans les patates et que je suis un être fantastique et un véritable modèle pour les jeunes. Je suis comme le Superman des temps modernes.

Merde. Je n'ai pu m'empêcher de rire en écrivant ma dernière phrase, ce qui a piqué la curiosité de Manu, qui est venue lire par-dessus mon épaule. Conséquence : je dois poursuivre mon écriture en me concentrant sur un événement important de la dernière semaine.

La seule chose qui me vienne en tête, c'est la petite soirée chez Marianne de vendredi dernier. Elle avait invité José, Maude, Sophie, Lydia, Katherine, Jeanne et moi. Comme je trouvais que ça manquait de gars, j'ai traîné mon cousin Dom. Mes amis l'aiment beaucoup parce qu'il fait souvent le DJ dans les partys (il rêve de faire ça professionnellement un jour).

On était écrasés sur le sofa quand Lydia a proposé de jouer à la bouteille.

Maude (en la dévisageant): C'est tellement enfantin comme jeu. Je préfère de loin vérité ou conséquence.
Marianne: Moi aussi. Ça fait éclater des scandales.

Lydia a baissé les yeux, déçue. Des fois, je me sens mal pour elle et Sophie. Je trouve que Marianne, Maude et Kath les traitent un peu comme des pions qui n'ont pas le droit d'émettre une opinion.

Moi: Si Lydia a envie de jouer à la bouteille, fais-lui donc plaisir.
Maude (en me narguant du regard): Pff. Tu dis juste ça parce que tu rêves de *frencher* Marianne.
Moi (en la narguant à mon tour): Je n'ai pas besoin d'un jeu pour que ça se produise.

Marianne m'a regardé d'un drôle d'air avant de me donner une bine sur l'épaule.

Marianne : Pour qui tu te prends, chose ?
Moi (en haussant les épaules et en souriant) : Pour un gars que tu as embrassé il y a moins de six mois.
Marianne : Vrai. Mais qui te dit que tu m'intéresses encore ?
Moi (en m'avançant vers elle) : Mon petit doigt.

Tous les autres se sont mis à crier pour nous encourager à nous embrasser, à l'exception de Sophie, qui a baissé les yeux. Je me suis senti mal pour elle.

Marianne (en plissant les yeux) : Si tu veux m'embrasser, il va falloir que tu joues à vérité ou conséquence.
Moi : OK. Je vais commencer.
Maude : Vérité ou conséquence ?
Moi : Conséquence.
Maude : Embrasse… Sophie pendant une minute.

J'ai fusillé Maude du regard. Non pas parce
que Sophie me rebutait, mais plutôt parce
que je trouvais ça cruel de sa part. Comme je
savais pertinemment que José lui avait dit que
Sophie ne m'intéressait pas, je ne comprenais
pas pourquoi elle s'acharnait à donner de faux
espoirs à son amie.

J'ai tourné mon regard vers Sophie, qui me
regardait avec des étincelles dans les yeux. Si
je refusais ma conséquence, je savais que ça
lui briserait le coeur. Je me suis donc avancé
vers elle et j'ai posé mes lèvres sur les siennes.
J'ai tout fait pour m'en tenir à un baiser
chaste, mais je voyais bien qu'elle redoublait
d'efforts pour que ça se transforme en *french*
passionné.

Moi (en reculant, un peu mal à l'aise) : OK. Je
pense que notre temps est écoulé.
Sophie : Je ne suis pas pressée…
Marianne (en tirant Sophie par le bras) : T'es
sourde ? Alex a dit que c'était fini !

J'ai décelé une pointe de jalousie dans sa voix.

Maude: Bon, Alex, c'est à toi de choisir.

Moi: Maude, vérité ou conséquence?

Maude: Conséquence.

Moi: Va faire le tour du bloc trois fois à la course.

Maude: Ben, là! C'est tellement con, comme conséquence!

Moi (en haussant les épaules): C'est moi qui décide.

Elle est partie en grommelant. La vérité, c'est que je déteste ce jeu, qui est conçu pour stimuler les chicanes entre filles auxquelles je ne veux jamais me mêler.

Quand Maude est revenue, elle m'a regardé avec un air de défi.

Maude: Marianne, vérité ou conséquence?

Marianne: Vérité.

Maude: Est-ce que tu as un *kick* sur un gars? Et si oui, lequel?

Marianne (en rougissant): Pff, non. Je n'ai pas de *kick* sur personne.

Maude : Tu ne peux pas mentir.

Marianne : Je sais.

Maude (en insistant) : Pourtant, tu nous caches quelque chose.

Marianne (en l'implorant du regard) : Maude, arrête, s'il te plaît !

Maude : Non. Le but du jeu, c'est de dire la vérité. Et si tu ne nous dévoiles pas ton secret, je vais être obligée de le faire à ta place.

Marianne (offusquée) : Maude ! Je t'ai confié ça pour que ça reste entre nous.

Maude : Ouais, mais là il faut que tu le dises aux autres. Ce sont les règles du jeu.

Lydia (en se frottant les mains) : Je veux savoir ! Tu as un *kick* sur qui ?

José : *Come on*, les filles ! Vous voyez bien que ça ne lui tente pas d'en parler !

Moi (en niaisant pour détendre l'atmosphère) : C'est correct, Marianne. Tu peux le dire que tu tripes encore sur moi !

Maude (en plissant les yeux) : Ce serait trop beau. Mais imagine-toi donc que madame s'est mis dans la tête qu'elle a une fascination pour Éloi.

Sophie et Lydia (en la dévisageant): ÉLOI?
Marianne (en rougissant): Ben quoi? Il est *cute*.
Maude (en grimaçant): Dans le genre *nerd* à lunettes.
Marianne (en croisant les bras sur sa poitrine): Ce ne sont pas de vos affaires. Et je n'ai plus envie d'en parler.

Un ange est passé.

Moi (en essayant de changer de sujet): Est-ce que quelqu'un a vu le dernier *James Bond*?
Maude (sans abandonner la bataille): Marianne, c'est à ton tour.
Marianne (en la défiant du regard): Maude. Vérité ou conséquence?
Maude: Conséquence.
Marianne: T'es sûre?
Maude: Je ne suis pas cruche. Je sais très bien que si je choisis vérité, tu vas t'arranger pour me mettre dans la merde devant mon *chum*.
Marianne: Je peux m'arranger autrement. Embrasse Alex pendant deux minutes.
Moi: Euh, c'est un peu *weird* votre affaire, non?

José: Je suis d'accord. Je n'ai pas envie de voir ma blonde *frencher* mon meilleur ami.

Marianne: Alors elle peut embrasser Dom. Après tout, il ne fait pas officiellement partie de la gang.

Dom: Euh, je préfère me retirer du jeu. Je ne veux pas de problème.

Marianne: OK. De toute façon, Alex était mon premier choix.

José l'a fusillée du regard.

José: C'est quoi, ton problème?

Marianne (en haussant les épaules): C'est juste un jeu. Arrête de capoter.

José: Mais c'est *mi chica*. Et mon ami.

Moi (en parlant sans réfléchir): C'est correct, *man*. Ça me permettra de prendre ma revanche pour ton histoire avec Jasmine.

Oups.

José m'a regardé avec des yeux ronds tandis que Maude devenait écarlate.

Maude: C'est qui, Jasmine?

José: Personne. Alex invente des choses.

Maude: Je ne te crois pas. Alex? C'est qui, Jasmine?

Moi: Euh. Je répondrai à ta question si je choisis «vérité».

Marianne: Embraye, Maude. Embrasse Alex.

Maude a roulé les yeux avant de s'exécuter.

José: OK. *Ya se acabo.* Ça fait deux minutes.

Maude: C'est à mon tour. Alex, vérité ou conséquence.

Moi: Euh, conséquence.

Maude: Non. Choisis vérité.

Moi: Ben non. Je veux une conséquence.

Maude: Embrasse Dom.

Moi et Dom: Ark!

Maude: Vous êtes donc bien homophobes!

Moi: Non, niaiseuse! On est cousins!

Maude: Alors choisis vérité.

Moi (en roulant les yeux): OK.

Maude: C'est qui, Jasmine?

J'ai jeté un coup d'oeil vers José. Il me suppliait du regard. Comme il venait à peine de reprendre avec Maude et que je connaissais le caractère explosif de cette dernière, je pouvais pressentir une véritable tornade si je lui avouais ce qui s'était passé.

Moi : Une fille que j'aurais voulu fréquenter au début de l'été, mais qui m'a rejeté parce qu'elle trouvait José plus beau. Mais ton *chum* a été un véritable gentleman et n'a rien fait avec elle.
Maude (d'un air suspicieux) : Pourquoi pas ?
Moi : Parce qu'il t'aimait encore malgré votre rupture et qu'il ne voulait pas se montrer déloyal avec moi.

Maude a poussé un soupir de soulagement et s'est empressée d'embrasser son *chum*, qui m'a remercié du regard.

Moi : Bon, on a assez joué, non ?
Lydia : Ben là ! Dom, Sophie et moi, on n'a même pas été choisis !

Moi : OK. Dom, vérité ou conséquence ?

Dom : Comme personne ne me connaît, je vais y aller avec conséquence.

Moi : Va sonner chez le voisin et pars en courant.

Maude : Tes choix de conséquences sont vraiment nuls.

Moi : Au contraire. Je les trouve très originaux.

Lydia : Maude a raison. C'est plus cool si tu lui demandes d'embrasser quelqu'un.

Elle a dit ça en me faisant de grands yeux. J'ai alors compris que Lydia avait un *kick* sur mon cousin. Je me suis donc arrangé pour qu'ils s'embrassent, et, pour une raison que j'ignore, mon nom a de nouveau été mentionné.

Dom (en retenant un rire parce qu'il trouvait visiblement ce jeu aussi niaiseux que moi) : Alex, vérité ou conséquence ?

Moi : *Dude !* Choisis quelqu'un d'autre.

Dom : Non. J'ai le goût de te faire chier.

Moi : Tu m'énerves, *man*. Vérité.

Dom : As-tu du poil sur le *chest* ?

Moi (en soulevant mon t-shirt) : Un seul. Et j'en suis très fier.

Marianne : *Come on,* les gars. On veut apprendre quelque chose de plus croustillant.

Dom : Je trouve la pilosité de mon cousin très croustillante.

Moi : Ar-ke.

Marianne : Si tu n'es pas capable de trouver une bonne question, je vais le faire pour toi. Alex, as-tu un *kick* sur quelqu'un en ce moment ?

Moi (en souriant) : Sur Jasmine. Mais je ne peux pas l'avoir. Et c'est ce qui la rend encore plus attirante.

Maude : Ça ne compte pas, on ne sait même pas c'est qui ! Nomme quelqu'un de l'école.

Moi : Désolé, les filles, mais je n'ai aucune annonce à vous faire.

Sophie a détourné le regard pour cacher sa déception.

Marianne (en soupirant) : Quelle fille trouves-tu la plus *cute* dans notre niveau, d'abord ?

J'ai réfléchi quelques instants.

Moi : La petite nouvelle.
Maude (en grimaçant) : Laura ?
Marianne : Je pense que son prénom est Léa.
Lydia : Ouais. Léa Olivier. C'est la soeur de
Félix, le super beau gars de secondaire 5.
Maude (en bâillant) : Je ne comprends pas tes
goûts, Alex.
Moi (en souriant) : Tu dis ça parce que je ne t'ai
pas choisie ? Tu es belle, Maude. Et je t'aime.
Mais j'ai peur de ton *chum*.
Maude (en riant) : Niaiseux.

J'ai ensuite proposé à Dom de mettre de la
musique pour changer d'activité et détendre
l'atmosphère, et on a fini la soirée en riant et
en dansant.

Bon, comme je me suis vraiment donné dans
mon récit et que Manu ne peut plus chialer, je
vais aller déjeuner, car je m'autodigère.

A.

Comme chaque semaine, je me suis obstiné pendant une demi-heure avec Manu avant d'écrire. Nos discussions sont toujours très redondantes :

Moi : Ça ne me tente pas. Je n'ai rien à dire. C'est con.
Elle : Tu as tort. C'est super utile et c'est sain pour toi.

Pour appuyer son point, elle m'a ensuite fait lire un article scientifique sur les bienfaits d'un journal intime.

J'ai soupiré avant de repousser son magazine.

Elle : Tu n'as pas le choix, Alex. Écris.
Moi : À propos de quoi ? Aide-moi à trouver de l'inspiration, au moins.
Elle : Pourquoi ne parles-tu pas de la chicane que tu as eue avec papa pendant le souper ?
Moi : Quelle chicane ?

Elle (me regardant d'un air découragé) : Tu sais très bien de quoi je parle.

Moi : Je n'ai rien à dire à propos de ça.

Elle : Ça, c'est ce que tu penses. Mais je suis certaine que si tu creuses un peu, tu vas découvrir que votre altercation a fait remonter toutes sortes d'émotions.

J'ai soupiré, mais j'ai fini par abdiquer. Plus vite je t'écris et plus vite je pourrai appeler Alexis pour parler du match de hockey de la fin de semaine prochaine.

C'est d'ailleurs ma nouvelle saison de hockey qui a provoqué un petit froid entre mon père et moi. On était en train de manger (un cari au tofu pour répondre aux restrictions alimentaires de ma grande soeur) quand Brigitte m'a questionné à propos de l'horaire.

Brigitte : Ça ressemble à quoi, cette année ? Encore des pratiques à des heures pas possibles ?

Moi : Ouais. La bonne nouvelle, c'est que quand j'aurai mon permis, vous n'aurez plus à vous réveiller aux aurores.

Mon père : Je préfère me lever tôt que de te voir conduire en état d'ébriété.

Moi : Ben voyons, papa ! Tu me connais. Je ne ferais jamais ça.

Mon père : La plupart des jeunes qui ont eu des accidents mortels liés à l'alcool disaient la même chose que toi.

Moi : Donne-moi un peu de crédit, s'il te plaît !

Mon père : J'ai déjà été un adolescent, Alex.

Moi (en souriant) : Papa, ce n'est pas parce que tu as décidé de virer une brosse de trop dans le fin fond du Saguenay il y a vingt ans de ça que je vais faire la même chose que toi.

Mon père : Crois-moi, j'en ai viré plus d'une. C'est d'ailleurs lors d'une soirée trop arrosée que Manu a été conçue.

Moi : *Too much information !*

Manu : Es-tu en train de me dire que je dois mon existence à tes excès de jeunesse ?

Mon père : Et à ceux de ta mère.

Léo : C'est quoi des « excès de jeunesse » ?

Moi : C'est quand tu manges trop de biscuits et que tu lances tes LEGO partout.

Tout le monde a ri.

Moi : Pour en revenir à mon hockey, il y a un tournoi en novembre près de Québec auquel j'aimerais participer. La seule affaire, c'est que ça dure quatre jours.
Mon père : Donc tu raterais l'école ?
Moi : Ouais, mais comme je le sais d'avance, je pourrai m'arranger avec les profs.
Mon père : Je vais en parler à ta mère, mais je ne crois pas que ce soit une bonne idée.
Moi : Pourquoi ?
Mon père : Je t'ai toujours dit que tes études étaient la priorité.
Moi : Je comprends, mais si j'arrive à tout planifier, je ne vois pas où est le problème.
Mon père (d'un ton ferme) : Ça, c'est parce que tu es l'enfant, et moi, le parent.

Brigitte a chantonné pour essayer de détendre l'atmosphère.

Moi: Je suis peut-être ton fils, mais je ne suis plus un enfant. Et je suis assez responsable pour m'arranger pour que le tournoi ne nuise pas à mes études.

Mon père: Alex, tu ne me feras pas changer d'avis.

Moi: Alors, quoi? Tu dis non sans même me donner la possibilité de te prouver que je ne vais pas couler mes maths parce que je passe deux jours en Beauce?

Mon père: Je t'ai dit que j'en parlerais à ta mère. Fin de la discussion.

Le reste du repas s'est déroulé dans le silence. Pour être honnête, je suis un peu en colère. (Bravo, Manu. Tu as gagné ton pari. Je parle d'une émotion.) Et ce qui me gosse encore plus, c'est que mon père n'est jamais aussi intransigeant avec Léo ou Manu.

Parlant d'elle, elle vient de m'accorder congé pour ce soir. Et crois-moi, je n'ai aucune envie de faire des heures supplémentaires!

A.

Mardi 15 septembre, 22 h 11

Manu s'est invitée dans ma chambre alors que je m'apprêtais à ouvrir l'ordi.

Elle : Qu'est-ce que tu fais ?
Moi : J'allais consulter l'horaire des matchs des Canadiens. Dom et moi aimerions assister à une *game* dans la zone Molson, cet automne.
Elle (d'un air dégoûté) : Je ne comprends pas ce qu'il y a d'intéressant à voir des gars frustrés se plaquer dans la bande et courir après une patente en plastique noire.
Moi : Ils ne courent pas ; ils patinent. Et la « patente » s'appelle une rondelle.
Elle : Je ne vois quand même pas ce qu'il y a de *fun* à perdre une soirée là-bas.
Moi : Et moi, je ne comprends pas pourquoi tu passes ton temps à regarder des vidéos de psychologie sur YouTube. « La théorie de la pleine conscience prend ses racines dans… »

J'ai fait semblant de m'endormir en sursaut pour appuyer mon point.

Elle : À chacun ses passions. Si j'avais la chance d'assister en personne à l'une de ces conférences, c'est vrai que j'irais sans hésiter. Je peux donc un peu comprendre ton envie de regarder des hommes de Cro-Magnon se disputer une rondelle.

Moi (en haussant les épaules) : Ouais, mais je ne me fais pas trop d'espoir.

Elle : Pourquoi ?

Moi (sarcastique) : Penses-tu vraiment que papa m'autoriserait à me rendre seul au Centre Bell ? Une affaire pour que je cause un accident de la circulation !

Ma petite flèche n'a pas échappé à ma soeur.

Elle : Tu exagères, Alex.

Moi : Non. Papa me traite vraiment comme si j'avais trois ans d'âge mental.

Elle : Peut-être que si tu t'adressais à lui avec plus de maturité, il te prendrait au sérieux ?

Moi (en secouant la tête) : Impossible. J'ai beau être responsable, on dirait qu'il n'y a rien que je puisse faire pour gagner sa confiance.

Elle (en esquissant un sourire et en me regardant comme si j'étais un bébé lapin): Awww! Alex! Tu commences enfin à t'ouvrir!

Elle s'est précipitée vers moi et m'a pris dans ses bras.

Moi (en la repoussant): *Dude...* Qu'est-ce que tu fais?
Elle: Je te serre contre moi parce que je suis fière de toi.
Moi: Relaxe. C'est juste une frustration passagère.
Elle: Ouais, mais je crois que c'est ton journal qui t'a permis de réaliser que ça clochait entre papa et toi. Et ça, c'est une avancée magistrale!
Moi (en roulant les yeux): Tu capotes.
Elle (en s'assoyant près de moi et me fixant avec intensité): Vas-y, Alex. Parle-moi de ce que tu ressens.
Moi: Euh, pourquoi tu ne clignes plus des yeux?

Elle : C'est une technique que j'ai apprise dans mon cours d'approche thérapeutique. Beaucoup de spécialistes incitent leurs patients à s'ouvrir grâce au contact visuel.

Moi : Manu, tu ressembles à un personnage de manga qui vient d'apprendre une mauvaise nouvelle. Ça ne m'inspire rien d'autre que de la pitié.

Elle (en se mettant à respirer bruyamment) : Et ça, c'est mieux ?

Moi : Qu'est-ce que tu fais ? Tu fais de l'hyperventilation ?

Elle : Non. J'essaie de t'inviter à décongestionner ton autoroute émotive.

Moi (en la dévisageant) : En me faisant rire ? C'est gagné !

Elle (en fronçant les sourcils et en s'assoyant sur le lit) : Ce n'est pas parce que tu es trop niaiseux pour t'ouvrir à mes approches novatrices que je ne te ferai pas part de mon hypothèse.

Moi : Tu penses que tu as été adoptée et que c'est pour ça qu'on ne se ressemble pas du tout ?

Elle : Premièrement, si quelqu'un a été adopté, c'est toi. La preuve, c'est que tu as des yeux pâles.

Moi : Maman a les yeux verts.

Elle : Non. Elle a les yeux bruns tirant sur l'olive.

Moi (en souriant) : Ce n'est pas en me disant que je suis un mystère de la génétique que ça va aider ta cause.

Manu a pris une profonde inspiration avant de se lancer à m'expliquer sa théorie.

Elle : Je pense que papa agit comme ça parce qu'il se voit en toi. Je ne sais pas si tu as déjà remarqué, mais tu es sa copie conforme !

Moi (sarcastique) : Impossible, puisque je suis adopté.

Elle : Peux-tu arrêter de niaiser trois minutes pour qu'on discute sérieusement ?

Moi : Non.

Ses narines se sont dilatées. Je sentais que si je continuais comme ça, le volcan Emmanuelle allait exploser.

Moi (en riant) : OK, c'est bon. Je t'écoute.

Elle : Papa te met des bâtons dans les roues parce qu'il a peur que tu fasses les mêmes erreurs que lui.

Moi : Pourtant, je ne compte pas avoir d'enfant avant mes trente ans.

Elle : Ce n'est pas juste ça qui l'inquiète.

Moi : C'est quoi, alors ?

Elle : J'ai cru comprendre que papa n'était pas l'élève le plus studieux de l'école.

Moi : Ça veut dire quoi, ça ?

Elle : Je ne veux pas trahir la confiance de Brigitte, mais disons qu'il a eu pas mal de rattrapage à faire pour entrer à l'université.

Moi : Hein ? Il ne m'a jamais raconté ça !

Elle : Parce qu'il ne veut pas que tu prennes exemple sur lui.

Moi : Tu vois ? C'est exactement ça qui m'énerve. Il devrait être honnête avec moi et partager ses propres expériences au lieu de me mentir.

Elle : Il te protège. C'est différent.

Moi : Le résultat est le même.

Manu m'a observé en souriant.

Moi : Pourquoi me regardes-tu comme si j'avais du brocoli coincé entre les dents ?

Elle : Parce que je trouve que tu as fait du cheminement depuis un mois.

Moi : Pff ! Tu penses vraiment que ton baragouinage psychologique est en train de déteindre sur moi ?

Elle : Tellement.

Moi : Tu rêves en couleurs, la soeur.

Elle : Ton déni est contre-productif.

Moi (en la poussant hors de ma chambre) : OK. Assez de thérapie pour la semaine. Ba-bye !

Elle : Une dernière chose : je tiens absolument à ce que tu relates tout ça dans ton journal.

Moi : Non.

Elle : Pourquoi ?

Moi : Parce qu'il n'a jamais été question d'écrire quotidiennement.

Elle : S'il te plaît, Alex ! C'est essentiel que tu notes tes réalisations importantes pour t'aider à les intérioriser.

Moi : J'accepte, à condition que tu me donnes une pause la semaine prochaine.

Elle : Impossible. J'ai besoin de constance pour l'analyse fructueuse de mes résultats.

Moi : Pff. Pas question que je perde trente minutes alors que je pourrais jouer à *Zombie Attack*.

Elle (d'un air dégoûté) : C'est quoi, ça ?

Moi : Un nouveau jeu qu'Alexis m'a fait télécharger sur l'ordi. C'est vraiment cool.

Elle : C'est une perte de temps.

Moi : Pas plus que ton journal.

Elle (en roulant les yeux) : Et si tu n'avais qu'à écrire une seule anecdote la semaine prochaine ?

Moi : Une *très courte* anecdote ?

Elle (en soupirant) : OK.

Moi (en souriant, fier de ma négociation) : *Deal.*

Et voilà le travail ! Maintenant que je t'ai relaté sa théorie bidon à propos du modèle père-fils, je vais aller me défouler en attaquant des zombies.

A.

Voici ma courte anecdote de la semaine.

Samedi soir, je suis allé voir les jumelles dans leur chambre tandis que Manu regardait un film avec son *chum* au grenier.

Moi : Camille, Juliette, j'ai une super bonne nouvelle pour vous !
Juliette : Quoi ?
Moi : Ce soir, c'est Manu et Julien qui vont vous donner le bain et vous lire une belle histoire.

Les jumelles se sont mises à crier de joie.

Juliette : JE VEUX L'HISTOIRE DES TROIS PETITS COCHONS !
Camille : ET MOI, CELLE DE DORA CHEZ LE DENTISTE !
Moi : Ça tombe bien ! Manu avait justement le goût de vous en lire au moins deux chacune ! Vite, allez la chercher avant qu'elle ne change d'idée !

Les filles sont montées à l'étage en hurlant tandis que ma mère surgissait dans l'embrasure de la porte.

Ma mère (en secouant la tête) : Tu es le diable incarné !
Moi (en souriant) : Allons, maman. Ne me fais pas croire que tu n'es pas contente d'obtenir un petit *break*.
Ma mère : Oui, mais tu aurais très bien pu me le proposer au lieu de ruiner la soirée de Manu.
Moi : L'important dans tout ça, c'est que tu te reposes. Allez ! Va te servir un verre de vin et file dans le bain !

Ma mère a obéi sans rouspéter, tandis que Manu et Julien apparaissaient devant moi, l'air contrarié. Juliette était accrochée à la jambe de ma soeur alors que Camille se tenait sur les épaules de Julien qui tentait tant bien que mal de garder son équilibre.

Manu (en me fusillant du regard): C'est vrai
que tu as dit aux filles que j'allais m'occuper
de la routine du dodo?
Moi: Oui. Et sache que maman te remercie du
fond du coeur.
Manu: Mais Julien et moi venons à peine de
commencer notre film!
Moi: Vous pourrez le poursuivre quand elles
dormiront.
Manu (en plissant les yeux): Tu sais comme
moi qu'elles ne sont pas tuables!
Moi: C'est pour ça qu'il faut se relayer pour
aider maman.
Manu: Aide-nous, d'abord!
Moi: Je ne peux pas. C'est le premier match
hors saison des Habs, et Patrick m'attend déjà
au grenier. D'ailleurs, c'est vraiment gentil
de nous laisser ta grosse télé. *Ciao!* Et bonne
chance avec les tornades!
Manu: JE TE DÉTESTE, ALEX GRAVEL-CÔTÉ!

Manu me boude depuis quarante-huit heures,
mais je crois que c'est peu cher payé pour avoir

eu la chance de regarder les Canadiens battre
Boston en prolongation.

A.

Chapitre 2 :
Alex pour les nuls

Manu est assise à côté de moi et tourne
rageusement les pages de sa revue de filles.
Elle m'en veut encore de lui avoir volé la
télé et de l'avoir forcée à s'occuper de la
routine nocturne des jumelles. J'ai beau
lui répéter qu'elle a fait une bonne action
en aidant maman, elle prétend que c'est
de la manipulation, qu'elle est toujours
prête à donner un coup de main quand on
le lui demande et que j'ai ruiné une soirée
importante pour elle.

Oups. Elle est en train de hurler que je lui
fais perdre son temps et qu'elle va couler son
cours à cause de moi. Elle s'est enfermée dans
sa chambre en clamant que j'étais en train de
ruiner sa future carrière de psy et que j'étais le
pire frère de la planète.

Me revoilà. Après avoir constaté une amplification des sanglots de ma soeur, je suis allé m'assurer qu'elle ne s'était pas noyée dans ses larmes.

Moi (en entrouvrant la porte) : Toc ! Toc !
Manu (en versant une larme de crocodile) : Qu'est-ce que tu veux ?
Moi : Qu'on fasse la paix.
Manu : Non.
Moi : Manu, je suis désolé pour samedi soir. Je ne savais pas que c'était si pénible de prendre soin des jumelles.
Manu (en me dévisageant) : Tu ne comprends vraiment rien.
Moi : Explique-moi, alors !

Elle a pris une profonde inspiration avant de poursuivre.

Manu : Julien et moi, on traverse une période difficile. Et samedi dernier, je voulais passer une soirée romantique pour qu'on se rapproche.

Moi (en grimaçant) : Oups.

Manu : Ouin.

Moi : J'en déduis que les jumelles ne vous ont pas aidés à reconnecter ?

Manu : Crois-tu vraiment que ces deux tornades vont nous donner envie de fonder une famille ?

J'ai ri.

Moi : Veux-tu me parler de vos problèmes ?

Manu (en haussant les épaules) : Tu ne comprendrais pas. Tu es trop jeune et tu n'as jamais eu de blonde.

Moi : OK.

Manu a soupiré.

Manu : Tu es vraiment aussi lent qu'un poisson rouge !

Moi : Pourquoi tu dis ça ?

Manu (en prenant un air très sérieux) : À titre d'information, lorsqu'une fille prétend qu'elle ne veut pas parler de quelque chose sous prétexte que tu ne pourrais pas comprendre, il ne faut pas que tu lui donnes raison. Sinon, elle va penser que tu as le QI d'un pissenlit, la sensibilité d'une borne-fontaine et le cortex cérébral ultra compressé.

Je l'ai regardée avec des yeux de truite égarée.

Moi : Peux-tu vulgariser, s'il te plaît ?
Manu (en soupirant) : Quand une fille te dit qu'elle ne veut pas parler de quelque chose, ça sous-entend qu'il faut que tu insistes pour qu'elle sache que ça t'intéresse vraiment et que tu es *full* à l'écoute de ses besoins.
Moi : Ce ne serait pas plus simple qu'elle soit franche avec moi ?
Manu : Non. Une fille a d'abord besoin de se sentir en confiance.
Moi : OK, mais comme tu es ma soeur, tu ne peux pas me dire carrément que ça te ferait du bien de te confier ?

Manu : Ce n'est pas parce qu'on partage le même groupe sanguin que je n'ai pas besoin de me sentir importante à tes yeux.

Moi : C'est donc bien compliqué !

Manu : Ce n'est quand même pas sorcier de deviner qu'une fille a besoin de se sentir comprise !

Moi : Ouais, mais si elle disait ce qu'elle pense au lieu d'espérer que je le devine, il me semble que ça éviterait bien des malentendus. D'ailleurs, je suis sûr que c'est pour ça que tu te chicanes tout le temps avec Julien.

Elle s'est remise à bouder. J'ai soupiré.

Moi (en m'assoyant près d'elle et en la regardant d'un air grave et solennel) : Emmanuelle, je sens que quelque chose te tracasse. Raconte-moi tout, s'il te plaît. Ça m'intéresse et je suis à l'écoute de tes besoins.

Manu : Alex, je n'ai vraiment pas besoin que tu te moques de moi en plus du reste.

Moi : Je suis sérieux, là. Qu'est-ce qui se passe avec Julien ?

Manu : On dirait que ses amis passent tout le temps en premier et qu'il ne tient pas à moi.

Moi : Pourquoi ? Il ne te dit pas assez qu'il t'aime ?

Manu : Au contraire. Il le répète tout le temps. Mais ça ne veut rien dire s'il ne me le fait pas sentir.

Moi : Julien est un bon gars. Il ne te le dirait pas s'il ne le sentait pas.

Manu (en secouant la tête, découragée) : Des fois, c'est tellement désespérant de parler avec toi. La vie de couple n'est pas aussi simple que tu le penses, Alex ! Tu ne peux pas prétendre être amoureux d'une fille sans le lui démontrer de façon concrète.

Moi : Et tu aurais besoin de quoi, comme preuve ? D'une bague de diamants ?

Manu : Ben non, niaiseux ! J'aimerais simplement qu'il m'accorde un peu plus d'attention.

Moi : C'est bizarre, parce que moi, j'ai toujours eu l'impression qu'il t'en donnait trop.

Elle m'a décoché un regard inquisiteur.

Moi (en poursuivant mon explication) : Julien répond à tes moindres désirs et te téléphone trente-cinq fois par soir. Je vois difficilement comment il pourrait en faire plus.

Un ange est passé.

Manu : Es-tu en train de me dire que tu le trouves soumis ?
Moi : Non. Juste très attentionné.

Elle a souri. Contre toute attente, j'avais réussi à la réconforter.

Manu : Tu devrais être comme ça plus souvent.
Moi : Comment ?
Manu : Mature et sensible.
Moi (avec une pointe de sarcasme) : Je suis certain que mon journal va m'aider.
Manu : Parlant de ça, je pense qu'on devrait arrêter.
Moi : Pourquoi ? As-tu déjà été acceptée dans le programme de psycho ?

Manu : Non, mais ça ne donne absolument rien de poursuivre si tu ne collabores pas plus sérieusement. J'ai juste à expliquer au prof que je me suis trompée et que je réessayerai l'an prochain.

Elle a poussé un long soupir avant de se laisser choir sur le lit.

Moi : Ben là ! Je ne veux pas être responsable de l'échec de ta carrière.

Aucune réaction.

Moi (en roulant les yeux) : *Come on*, Manu. Je ne veux pas que tu abandonnes à cause de moi.
Manu : Alors, arrête de percevoir ça comme une grosse *joke* et creuse un peu plus loin.
Moi (en soupirant) : Je ne sais pas comment m'y prendre. Je suis un gars, Manu. Je suis poche là-dedans.
Manu : C'est faux. La preuve, c'est que tu as écrit des trucs qui ont vraiment de l'allure et que tu es très bon pour analyser certaines situations.

Moi : Comme quoi ?

Manu : Comme la tension entre Maude et sa gang. Ou tes problèmes avec papa. Ou ton empathie pour la fille qui tripe sur toi. À l'avenir, essaie de développer ta réflexion avec ce genre de trucs. Concentre-toi sur les événements qui ont vraiment attiré ton attention et écris tout ce qui te passe par la tête en révélant ta vraie nature. Ce qu'on veut, c'est que quelqu'un qui tombe sur ton journal ait l'impression de contempler ton âme.

J'ai fait une grimace.

Moi : C'est beaucoup trop intense pour moi.

Manu (en soupirant) : Alors, vois ça comme un guide pratique. Une sorte d'*Alex pour les nuls*.

Moi (en souriant) : Je pense que ça, ce serait un *best-seller* !

J'ai souri et j'ai regagné ma chambre pour écrire et lui prouver ma bonne foi et pour essayer de devenir le prochain J. K. Rowling.

A.

Ça fait juste un mois que l'école est commencée et je suis déjà tanné des devoirs. Heureusement que mes amis sont là pour rendre les cours plus intéressants. Il y a aussi Léa Olivier qui met du piquant dans mes journées.

Je l'ai un peu fait savoir à Maude ce midi, mais ç'a vite tourné au vinaigre. Je pense qu'elle n'aime pas qu'on s'intéresse à quelqu'un d'autre qu'elle.

Moi (en m'assoyant avec Maude et José à la cafétéria) : Salut, petit couple. Où sont les autres ?

Maude : Marianne avait une rencontre avec le prof de sciences pour revoir la matière. Sophie, Lydia et Katherine s'en viennent, et Jeanne est partie dîner avec la rejet.

Moi : Avec qui ?

Maude : La nouvelle qui ressemble à une souris.

Moi : Léa ? Tu capotes. Je réitère : elle est vraiment *cute*.

Elle m'a regardé comme si je venais de lui annoncer qu'elle avait une crotte qui lui pendait au nez.

Maude : Avec des goûts de même, pas étonnant que tu sois encore célibataire. Chéri, peux-tu dire à ton ami qu'il a tort de triper sur la naine ?

José a haussé les épaules et a continué de manger son sandwich.

Maude : Pourquoi tu ne réponds pas ? Tu la trouves belle ?

J'ai fait de gros yeux à José pour qu'il désamorce la bombe au plus vite.

José : Elle n'est pas exactement mon genre, mais je ne peux pas dire qu'elle soit laide, *babe*.

Des fois, on dirait que José fait exprès pour faire enrager Maude. Ou alors il ne la connaît pas du tout. Je suis peut-être un amateur, mais ma soeur m'a bien appris qu'il ne faut jamais dire à une fille (surtout pas à sa blonde) qu'on en trouve une autre *cute*. Sauf peut-être s'il s'agit d'une actrice d'Hollywood. Mais même là, je n'oserais pas.

Maude (en le dévisageant et en se levant d'un bond) : Elle n'a rien d'attirant. C'est une *wannabe* qui n'a pas assez de personnalité pour se trouver une vie et se faire des amis. La preuve, c'est qu'elle m'a piqué ma place au journal, et que là, elle essaie de me voler Jeanne. Je la hais et j'exige que tu la détestes aussi !

Je ne comprendrai jamais pourquoi la jalousie et la rivalité rendent les filles si *bitch*.

Katherine, Lydia et Sophie ont interrompu sa montée de lait.

Katherine : De quoi vous parlez ?
Maude (en repartant de plus belle) : De Léa Olivier et du fait qu'elle est conne et qu'elle fait tout pour attirer l'attention.

Lydia : Elle est vraiment tache !
Sophie (en acquiesçant pour éviter de froisser Maude) : Tellement épaisse !
Katherine (en haussant les épaules) : Moi, je la trouve gentille et talentueuse. D'ailleurs, j'ai beaucoup aimé son dernier article dans le journal. Sans compter que son frère est tellement *hot* !

Les filles l'ont dévisagée comme si elle avait la peste, mais Katherine s'est contentée de s'asseoir et de manger sa salade en silence. J'ai trouvé ça cool qu'elle assume ainsi son point de vue.

Maude (en se levant) : Je vais aux toilettes. Kath, tu n'es pas invitée à te joindre à moi.
Katherine (en haussant les épaules) : C'est correct. Je n'ai pas envie, de toute façon.
Maude (rouge de colère) : J'espère au moins que tu pourras te retenir de sauter sur mon *chum* pendant mon absence.

Lydia et Sophie ont suivi leur mentore tandis que Katherine poussait un long soupir.

José : On dirait que Maude ne s'est toujours pas remise de notre écart de conduite.

Katherine : Je pense qu'elle ne s'en remettra jamais, José. Et pour être honnête, je suis un peu tannée de sa négativité. J'ai envie de commencer l'année du bon pied.

Moi (en lui faisant un *high five*) : *That's the spirit!*

José : C'est vrai qu'il ne lui en faut pas beaucoup pour s'énerver.

Moi (en le dévisageant) : Parlant de ça, arrange-toi donc pour tout nier la prochaine fois qu'elle te demande si une autre fille est *cute*!

José (en haussant les épaules) : Je n'aime pas mentir.

Katherine (en riant) : Pff! Tu es pire que Pinocchio!

Moi : Et pendant que j'y pense, si jamais tu sens qu'il y a quelque chose qui la tracasse, mais qu'elle te répond qu'elle ne veut pas en parler sous prétexte que tu ne comprendrais rien, sache que ça veut secrètement dire qu'elle tient à ce que tu insistes pour se sentir importante et s'assurer que tu es à l'écoute de ses besoins.

José et Katherine m'ont dévisagé avant d'éclater de rire.

José : *Dude*, de quoi tu parles ?
Moi (en haussant les épaules) : Je... Je faisais juste citer ma soeur.
Katherine : Personnellement, ça m'impressionne que tu parles comme ça.
José (en m'envoyant des baisers) : C'est vrai que tu es beau quand tu donnes des conseils de couple.
Moi (en me renfrognant) : Ta gueule.
José (en continuant de me niaiser) : Est-ce que je t'ai froissé ? Je m'excuse. Je ne connaissais pas ton petit côté sensible.
Moi : Tu me gosses.
José (en sortant un ballon de basket de son sac d'entraînement) : Veux-tu venir jouer avec moi ou as-tu trop peur de te casser un ongle ?

Je lui ai fait un doigt d'honneur avant de le suivre jusqu'au gym. Règle numéro un pour le maintien de ma réputation :

NE JAMAIS RÉPÉTER LES THÉORIES INTENSES DE MANU À L'ÉCOLE.

A.

Aujourd'hui, c'est congé, mais ça ne paraît pas. Je me sens comme l'un des zombies de mon jeu vidéo. J'ai un milliard de devoirs à faire, et comme j'avais une pratique de hockey samedi et aussi hier matin, je n'ai pas encore eu la chance de commencer.

Ce sont les parents d'Alexis qui m'ont conduit à l'aréna. Avec eux, tout a toujours l'air *chill*. Ils ne chialent jamais parce qu'ils doivent se lever aux aurores pour nous déposer à nos entraînements. Ils s'installent simplement dans les estrades avec un café et nous encouragent en lisant leur journal. Des fois, j'aimerais ça que mon père prenne exemple sur eux. Je l'ai d'ailleurs souligné à Alexis alors que je reprenais mon souffle.

Moi (en buvant dans ma gourde et en pointant ses parents avec mon gant): Tu es vraiment chanceux, *man*.

Alexis (en riant) : Tout est relatif. Pourquoi tu dis ça ?

Moi : Parce que tes parents encouragent ta passion.

Alexis (en haussant les épaules) : D'un autre côté, je n'ai jamais une seconde à moi, et quand je suis à *off* dans un match, ils ne se gênent pas pour me le dire.

Moi : Ouais, mais c'est quand même cool qu'ils s'intéressent autant à ce que tu fais.

Alexis (pince-sans-rire) : Ça me motiverait beaucoup plus si c'était ta soeur qui se trouvait dans les estrades.

Je l'ai plaqué amicalement. Alexis a toujours trouvé Manu de son goût, et il ne s'est jamais gêné pour me le faire savoir.

Moi : Lâche ma soeur, toi !

Alexis (en se protégeant et en riant) : OK ! OK ! Mais sérieusement, qu'est-ce que tu envies tellement à ma famille ?

Moi (en haussant les épaules) : Rien. Oublie ça.

Même si Alexis est mon meilleur ami d'enfance, je ne suis pas capable de lui avouer que je suis jaloux. Comme il est enfant unique, il est toujours au centre des préoccupations familiales, tandis que moi, je dois me battre avec les autres pour essayer d'obtenir trois secondes d'attention.

Je me sens un peu bébé d'éprouver ça, mais depuis que mes parents ont refait leurs vies, j'ai souvent l'impression de me ramasser avec les restants de temps ou de table.

Wow. C'est Manu qui serait contente. Je viens d'admettre quelque chose que je n'avais jamais eu le courage d'avouer dans le passé tout en utilisant une superbe métaphore. Le hic, c'est que je n'ai pas besoin qu'elle le sache. Je dois effacer ce passage au plus vite.

Manu et moi avons fait un nouveau *deal*. Tout a commencé quand j'ai sorti mon efface

pour supprimer mes aveux à propos de mes
frustrations familiales.

Manu (en se précipitant vers moi): Qu'est-ce
que tu fais?
Moi: Je veux enlever ce que je viens d'écrire.
Manu (en m'arrachant l'efface des mains):
Hors de question.
Moi: *Come on,* Manu. C'est une question de
survie.
Manu: Alex, je t'ai répété mille fois qu'il fallait
écrire sans te censurer.
Moi (en soupirant): OK, mais ce n'est pas une
raison pour ne pas penser aux conséquences.
Manu: Quelles «conséquences»?
Moi: Celles que je vais endurer si tu lis mes
confidences.
Manu (avec un sourire en coin): C'est quoi,
l'affaire? Tu ne veux pas que j'apprenne que je
suis ta soeur préférée?
Moi: Ouais, c'est ça.
Manu: Et que tu es complexé par mon
intelligence?

Moi (en cachant le journal derrière mon dos):
Je suis sérieux, Manu.
Manu (en posant une main sur mon épaule):
Alex, je te jure que je ne trahirai pas tes
secrets et que je ne me moquerai jamais de ce
que tu écris.
Moi: Ça ne change pas le fait qu'il y a des
choses que je ne tiens pas à partager. J'ai le
droit à mon potager intime, moi aussi.
Manu: On appelle ça un jardin secret.
Moi: Même affaire. Et je n'ai pas envie que tu
laboures dedans!

Manu m'a regardé en esquissant un petit
sourire.

Moi: Pourquoi fais-tu une face d'illuminée?
Manu: Parce que si tu réagis aussi
intensément, c'est parce que tu commences à
embarquer plus sérieusement dans le projet.
Moi (les yeux remplis d'espoir): Est-ce que
ça veut dire que la thérapie par le journal est
terminée?

Manu : On arrêtera le jour où je constaterai que tes progrès ont permis d'ouvrir ton coeur. En attendant, tu as pas mal de croûtes à manger.

Je lui ai fait une grimace.

Manu : Et beaucoup de maturité à acquérir.

J'ai pris une profonde inspiration avant de poursuivre.

Moi : La vérité, Manu, c'est que ça ne pourra jamais marcher si tu lis mon journal.

Ma soeur m'a observé pendant quelques secondes.

Manu : Qu'est-ce que tu proposes ?
Moi : Que tu me promettes de ne pas fouiner dedans.
Manu : Et comment vais-je faire pour constater ton évolution ?
Moi : Tu seras la première à le savoir si je me transforme en fleur bleue.

Elle a plissé les yeux, l'air songeur.

Manu: J'accepte...
Moi: Super!
Manu: À une condition.
Moi: Laquelle?
Manu: Si je veux obtenir de bons résultats, il va falloir que tu mettes les bouchées doubles.
Moi: Ça veut dire quoi, ça?
Manu: Que tu devras écrire deux fois plus souvent.
Moi: Genre jusqu'en avril?
Manu: Ben non, niaiseux. Genre deux fois par semaine.

J'ai grimacé.

Moi: C'est trop me demander.
Manu: C'est à prendre ou à laisser.
Moi (en lui serrant formellement la main): Tu es pas mal intransigeante pour une psy.
Manu: Arrête de chialer et remets-toi à l'écriture. L'affranchissement de ton ouverture

émotionnelle par ton vécu ne va pas se faire tout seul.

J'ai roulé les yeux et j'ai fait un dessin dans mon journal. Après tout, il doit bien exister une théorie qui vante les bienfaits des *tags* pour l'âme! Sur ce, je vais aller me concentrer sur mon devoir de maths. C'est bien beau aider Manu dans ses plans futurs, mais si je ne comprends pas la base des équations algébriques (zzz) d'ici l'exam de vendredi, c'est mon propre avenir qui va écoper!

A.

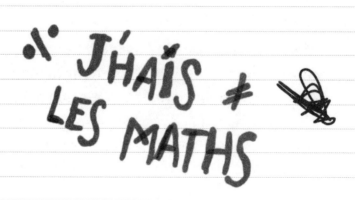

Pour une fois, j'ai pas mal d'affaires à raconter. Tout a commencé après l'école, quand j'ai croisé Éloi aux casiers. Même si lui et moi n'avons pas exactement les mêmes champs d'intérêt (il est du genre à triper sur la randonnée pédestre et la littérature romantique), il a un bon sens de l'humour et je m'entends bien avec lui.

Éloi: Salut!
Moi (en lui serrant la main): Hey! Il me semble qu'on ne se voit jamais même si on est voisins de case.
Éloi: Je sais. Si ça continue, il va falloir se donner rendez-vous aux toilettes, comme les filles.
Moi (en riant): Dans tes rêves, *bro*!

Marianne est venue nous interrompre.

Marianne (en posant un baiser sur ma joue et en prenant Éloi par le bras): Allo, mes amours.

Éloi et moi avons échangé un regard amusé. Depuis quelques semaines, Marianne prend un malin plaisir à nous *cruiser* tous les deux. Je crois que depuis qu'elle a un *kick* sur Éloi, elle m'utilise pour le rendre jaloux. Et je ne suis pas assez niaiseux pour refuser l'attention qu'elle me porte.

Marianne : Sophie nous invite chez elle, ce soir. Ses parents ne sont pas là.
Moi : Cool! Je serai des vôtres!
Marianne (en se penchant vers Éloi) : Et toi?
Éloi : J'aurais aimé ça, mais j'accompagne mes parents à l'opéra.

Marianne a éclaté de rire.

Marianne : Tu me niaises?
Éloi : Non. Ma tante a quatre billets et je suis invité.
Marianne : Et tu préfères entendre des personnes crier plutôt que de passer du temps avec moi?

Éloi (en souriant) : Bien sûr que non. Mais il est trop tard pour annuler.

Marianne (en posant sa main sur son torse) : Tu ne sais pas ce que tu manques.

Éloi : Je m'en doute, et je vais tout faire pour me reprendre.

Léa Olivier est alors passée devant nous.

Moi : Salut, Léa !

Léa : Allo ! J'aimerais jaser avec vous, mais je suis un peu pressée. Mon frère m'attend devant l'école.

Marianne (en lui tournant le dos) : Oh, dommage. *Bye*, Laura.

Léa (en haussant un sourcil) : Euh, je m'appelle Léa.

Moi (en lui souriant) : On se reprendra demain, si tu veux ! Bonne soirée !

Elle s'est éloignée en nous faisant un petit signe de la main.

Moi : On devrait l'inviter, elle aussi.

Marianne (d'un air dégoûté) : Pourquoi ?

Moi (en souriant): Parce que je la trouve charmante.

Éloi: Et super gentille. J'ai appris à la connaître grâce au journal.

Marianne nous a dévisagés comme si nous étions des vers de terre.

Marianne: Pas question d'inviter une rejet.

Moi: As-tu juste peur qu'elle te vole l'attention?

Marianne (en roulant les yeux): Pff! Comme si Léa Olivier avait le potentiel de me faire de l'ombre.

Moi: Il me semblait que tu ne connaissais pas son nom?

Elle a roulé les yeux en guise de réponse, puis elle a tourné les talons et a fait virevolter ses cheveux de façon très théâtrale avant de s'éloigner. On se serait cru dans un film.

Éloi: Ça m'énerve que Maude et elle aient décidé de prendre Léa en grippe.

Je l'ai regardé avec des yeux de Bambi devant des phares de voiture.

Moi : Traduction, s'il te plaît.
Éloi (en riant) : Elles s'en prennent gratuitement à Léa alors qu'elle n'a rien fait pour mériter ça.
Moi : Au contraire. Léa est gentille, drôle et jolie. Et c'est exactement pour ça qu'elle est sur la liste noire de Maude et de sa gang. Tu sais comme moi qu'elles détestent la compétition.
Éloi : Pourquoi les filles sont-elles aussi compliquées ? Il me semble qu'il n'y a pas autant de rivalité entre les gars.
Moi (en acquiesçant) : C'est vrai. La preuve, c'est qu'on s'entend bien, même si je suis un dieu.
Éloi (en riant) : T'es con !
Moi (en enfilant mon manteau et en prenant mon sac à dos) : Est-ce que je dois comprendre qu'un petit triangle amoureux est en train de se dessiner entre Léa, Marianne et toi ? Ce n'est rien pour aider la nouvelle à se faire aimer, ça !
Éloi : Ben non, niaiseux ! Léa est juste une amie. Sans compter qu'elle a un *chum*.

C'est une information que j'ignorais, et qui m'a un peu déçu.

Moi : Alors il ne te reste plus qu'à jeter ton dévolu sur Marianne !
Éloi (en sortant de l'école) : Peut-être. Je ne sais pas trop.
Moi : Qu'est-ce qui te fait hésiter ? Elle est belle et elle t'a clairement dans son radar !

Éloi a souri.

Éloi : Je sais qu'elle est physiquement super attirante, mais je ne sais pas si ça vaut aussi pour sa personnalité.
Moi : Je vois ce que tu veux dire, mais je t'assure qu'elle est plus cool quand elle est loin de sa gang.

On s'est séparés devant le métro, puis j'ai inséré mes écouteurs dans mes oreilles pour somnoler un peu jusqu'à la station près de laquelle vit ma mère. Je commençais à sombrer dans un semi-coma quand quelqu'un m'a secoué l'épaule. J'ai ouvert les yeux et j'ai

aperçu Ghislain, mon ex-beau-père, qui se
tenait devant moi.

Ma-laise.

Ghislain, je le vois un peu comme le *rebound*
de ma mère après sa rupture avec mon père.
Je n'étais qu'un enfant quand ils sont sortis
ensemble, mais je me souviens très bien de
ses pantoufles brunes en cuir, de l'odeur de sa
pipe et de sa fâcheuse habitude de fredonner
tout le temps. Il était un bon vivant et un
homme chaleureux, mais il était un peu trop
« beige » pour ma mère. C'est comme si après
les montagnes russes que lui avait fait vivre
mon père, elle avait eu besoin de naviguer
sur un long fleuve tranquille, question de
reprendre ses esprits.

Bien que Ghislain n'ait jamais officiellement
emménagé avec nous, je me rappelle qu'il
passait le plus clair de son temps à la maison et
qu'il répétait souvent qu'il s'y sentait comme
un poisson dans l'eau. C'est peut-être ce qui
l'avait incité à nous donner de petits surnoms

affectueux tels que «ma perchaude» (pour ma soeur) et «mon petit crapaud» (pour moi).

Puis, un jour de novembre, ma mère s'était assise avec Manu et moi pour nous expliquer que, même si elle respectait beaucoup Ghislain, elle devait mettre fin à leur couple, car elle ne l'aimait plus comme une amoureuse. Le départ de mon beau-père m'avait évidemment attristé, mais ma déception s'était envolée en fumée le jour où Patrick était entré dans notre vie.

Comme Patrick était un peu plus jeune que ma mère, qu'il jouait de la musique dans un *band* et qu'il était un fan incontesté des Canadiens de Montréal, je l'ai tout de suite perçu comme le beau-père le plus cool de la planète.

Le pauvre Ghislain a, quant à lui, été détruit par la rupture. Il a passé des mois à téléphoner à la maison pour supplier ma mère de le reprendre. Un jour, il m'a même attendu devant mon école primaire pour «prendre de mes nouvelles et pour l'aider dans sa

démarche». Du haut de mes neuf ans, j'avais vite compris qu'il s'agissait d'une technique plutôt désespérée pour se rapprocher de son ex-flamme.

Quand j'avais raconté ça à ma mère, elle s'était fâchée contre lui et lui avait interdit d'entrer en contact avec nous. Je ne l'avais jamais revu depuis.

Moi (en me frottant les yeux et en m'étirant): Ghislain? Wow! *Long time no see!*

Il s'est assis à côté de moi en souriant. Même si son front s'était dégarni et que ses cheveux avaient grisonné, il avait toujours le même regard bienveillant.

Ghislain: Mets-en! J'ai failli ne pas te reconnaître. Tu as tellement grandi, mon petit crapaud!

J'ai souri, gêné, puis j'ai jeté un regard autour
de moi en espérant qu'aucune jolie fille ne se
trouvait dans les parages.

Moi: Ben oui. Je vais avoir quinze ans en
janvier.
Ghislain: Wow. Et ta mère? Elle va bien?
Moi: Très bien.
Ghislain: J'ai appris à travers les branches
qu'elle avait eu des jumeaux?
Moi: Des jumelles. Camille et Juliette. Deux
adorables petits monstres de trois ans.
Ghislain (en éclatant d'un rire forcé): C'est
bizarre, car à l'époque où nous étions
ensemble, elle m'avait bien fait comprendre
qu'elle ne voulait plus d'enfant sous prétexte
qu'elle était comblée avec perchaude et toi.
Il faut croire qu'elle n'a plus le bonheur aussi
facile!

Je ne sais pas ce qui me troublait le plus: le
fait qu'il ne se soit apparemment toujours pas
remis de sa peine d'amour, ou qu'il insinue
que Manu et moi ne soyons plus une source de
félicité suffisante pour ma mère.

Moi (en haussant les épaules): Je crois que c'était vraiment important pour son conjoint d'avoir des enfants à lui.
Ghislain (en perdant son sourire): En tout cas, moi, je vous ai toujours aimés comme si je vous avais faits.

J'ai toussoté pour cacher mon malaise grandissant.

Moi (en m'efforçant de changer de sujet): Et toi, quoi de neuf?
Ghislain: Pas grand-chose depuis ta mère.

J'ai détourné les yeux pour consulter la carte du métro. Il restait deux stations avant d'arriver chez moi. Ouf.

Moi (en me donnant corps et âme pour détendre l'atmosphère): Travailles-tu toujours en finances?
Ghislain: En comptabilité.
Moi: Désolé. Dans ma tête, ça revient pas mal au même.

Ghislain (en s'animant d'un coup): Ce sont pourtant deux domaines très différents. Si tu veux, on pourrait se revoir pour en discuter. Comme tu auras des décisions importantes à prendre d'ici une couple d'années, ça pourrait t'aider à t'orienter.

Moi: Oh, c'est gentil Ghislain, mais j'ai déjà un horaire pas mal chargé avec l'école et le hockey.

Ghislain a baissé les yeux, déçu.

Moi: Sans compter que je n'en suis pas encore rendu là dans mes réflexions. Comme tu l'as dit toi-même, il me reste quand même quelques années avant de me brancher pour le cégep.

Ghislain (en me tendant une carte): Je vais tout de même te laisser mes coordonnées. Comme ça, tu sauras où me joindre le jour où tu voudras discuter de choses sérieuses.

Moi: Merci... Mais tu sais, mon père est toujours là pour me parler de ces trucs-là.

Ghislain: C'est vrai que Bernard a toujours eu une tête sur les épaules.

Moi (en me levant, soulagé): Bon, il va falloir que j'y aille. C'est ma station qui s'en vient.
Ghislain: OK. Tu diras à ta mère que je pense encore beaucoup à elle.
Moi: Euh, OK.
Ghislain: Et qu'elle peut m'appeler si elle veut prendre un café.
Moi (en tirant presque sur les portes pour qu'elles s'ouvrent au plus vite): Hum, hum.
Ghislain (en se postant près de la porte pour me regarder sortir): *BYE,* MON PETIT CRAPAUD! PRENDS SOIN DE TOI ET N'OUBLIE PAS QUE JE SUIS TOUJOURS LÀ POUR TOI. JE T'AIME ENCORE COMME MON FILS!

J'ai accéléré le pas. Les portes se sont refermées quand je suis arrivé à la hauteur du wagon suivant. J'y ai alors aperçu Léa, qui était assise sur un banc à côté de son frère et qui écoutait de la musique. Je lui ai fait un petit signe de la main en priant les dieux de la famille recomposée pour qu'elle n'ait pas entendu mon ancien beau-père m'interpeller par le nom d'un batracien.

Je suis finalement arrivé chez ma mère, où j'ai été accueilli par des cris et des projectiles flasques et mouillés.

Moi : Ark ! C'est quoi ça ?
Juliette (en courant vers moi) : Des morceaux de papier plein de bave !
Moi : Beurk. Il y en a partout !
Camille (en s'agrippant à ma jambe) : C'est la faute de Juliette.
Moi : Est-ce que vos parents savent que vous vous amusez à garnir leur salon de boulettes mouillées ?
Juliette (en posant un doigt sur sa bouche) : NON ! CHUT !

Patrick est alors apparu devant nous, les yeux écarquillés.

Patrick : Qu'est-ce qui s'est passé, ici ? C'est quoi, ce bordel ?
Juliette et Camille (en me pointant du doigt) : C'EST ALEX QUI FAIT DES BOUGUETTES DÉLEUES !

Patrick m'a lancé un regard perplexe.

Moi : Je pense qu'elles voulaient dire
«boulettes dégueu».
Patrick (en s'agenouillant et en empruntant
la voix d'un monstre) : Moi, je crois plutôt
que c'est l'oeuvre de deux petites tornades
blondes ! Et si je les attrape, je vais leur
manger les foufounes !

Les filles se sont mises à hurler avant de
déguerpir en vitesse.

Moi : Wow ! C'est efficace comme stratégie ! Je
te la vole, celle-là !
Patrick (en ramassant les dizaines de jouets
qui jonchaient le sol) : Je me demande
sérieusement comment elles arrivent à mettre
le désordre aussi rapidement !
Moi : Est-ce que maman est là ?
Patrick : Elle n'est pas encore rentrée du
bureau. Et comme la garderie est fermée
aujourd'hui, c'est moi qui me suis occupé des
filles toute la journée.

Moi : Ah ! C'est pour ça que la maison ressemble à une scène de crime !

Il s'est laissé tomber sur le sofa en soupirant.

Moi : Tu as l'air brûlé.
Patrick : Crois-moi : tu le serais aussi à ma place !

Patrick et ma mère entretiennent une relation très moderne. Comme elle est avocate dans un grand cabinet et qu'elle doit parfois travailler tard, c'est mon beau-père qui s'occupe de la routine et des repas. Lorsque ma mère rentre du travail, ils passent un peu de temps ensemble, mais il arrive souvent que Patrick doive rejoindre son *band* de musique quelque part.

Moi : As-tu beaucoup de spectacles ces temps-ci ?
Patrick : Mets-en ! Les gars sont en feu et nous ont *booké* des *shows* tout l'automne.
Moi : Cool ! Est-ce que je vais enfin pouvoir aller vous voir jouer ?

Patrick : Il va falloir que tu convainques ma
blonde.
Patrick et moi (en imitant la voix de ma mère) :
Tu iras dans les bars le jour où tu seras majeur !

Ma mère a évidemment choisi ce moment pour
entrer dans la maison. Elle nous a dévisagés,
les mains sur les hanches.

Ma mère : Êtes-vous encore en train de vous
moquer de moi ?
Patrick : Pff. Non.
Moi : On ne ferait jamais ça.

Elle s'est approchée de moi pour m'embrasser
sur le front. C'est un geste qu'elle affectionne
depuis que je suis un enfant.

Ma mère : Ta soeur n'est pas rentrée du cégep ?
Moi : Non. Elle doit encore avoir une réunion
de comité de je-sais-pas-quoi.
Ma mère : Tu devrais la prendre comme
exemple, Alex ! C'est important de t'impliquer
dans des activités parascolaires.

Moi : Je sais. C'est pour ça que je joue au hockey.

Ma mère (en haussant un sourcil) : Je ne vois pas en quoi le hockey aide tes performances scolaires !

Moi : Tu te trompes ! La preuve, c'est que j'utiliserai toutes mes connaissances du sport pour faire un exposé sur les prouesses actuelles des Canadiens dans mon cours de français.

Patrick : *Nice !*

Ma mère l'a fusillé du regard.

Ma mère : Pat, peux-tu m'aider au lieu de l'encourager à couler ses cours ? Parlant de ça, Alex, j'ai eu une petite discussion avec ton père concernant ton tournoi en Beauce.

Ma mère a pris une profonde inspiration. Elle faisait tout le temps ça quand elle avait quelque chose de grave à m'annoncer.

Moi (d'un ton paniqué) : Et quoi ? Il t'a mis dans la tête que le tournoi nuirait à mes études ?

Ma mère : Alex...

Moi (en serrant les poings pour essayer de contenir ma colère) : C'est quoi, votre problème ? Je n'ai pas connu un seul échec depuis le début de mon secondaire ! Je sais que je pourrais avoir de meilleures notes en histoire et en français et que vous vous acharnez à me répéter que je suis paresseux et que je pourrais péter des scores si je me forçais un peu plus, mais je maintiens ma moyenne et je ne me suis jamais rebellé. Je fais ce qu'on me demande, je respecte les couvre-feux et je suis toujours là pour jouer à la gardienne quand vous en avez besoin.

Ma mère et Patrick ont échangé un regard amusé.

Moi : Qu'est-ce qu'il y a ? Ça vous fait rire de me voir aussi misérable ?

Patrick : Je dirais plus que ça nous divertit de te voir paniquer pour rien.

Ma mère : Ton père et moi avons décidé de te laisser aller en Beauce...

J'ai hurlé de joie et j'ai soulevé ma mère dans les airs.

Moi : Tu es TELLEMENT la meilleure maman du monde.
Ma mère : … à deux conditions.

Je l'ai déposée par terre et j'ai plissé les yeux.

Moi : Il me semblait aussi. Lesquelles ?
Ma mère : J'aimerais que tu gardes les jumelles le soir de l'Halloween, car je tiens à assister au spectacle de Patrick.
Moi : J'accepte.
Ma mère : Et ton père et moi insistons pour que tu remontes ta moyenne en français.
Moi : Je vais faire mon possible.
Ma mère : Je veux du tangible, Alex.
Moi : Ça veut dire quoi, ça ?
Ma mère : Que tu dois obtenir de meilleurs résultats au prochain examen.
Moi : Ben là ! Ça me laisse juste une semaine pour m'améliorer !

Ma mère : Tu n'as qu'à demander à ta soeur de t'aider.

Moi : Non. Je passe déjà assez de temps avec elle.

Ma mère : Alors, trouve un camarade qui veuille te donner un coup de main.

J'ai grimacé.

Patrick (en souriant) : Je suis sûr qu'il y a plein de filles qui ne demanderaient pas mieux que de passer une heure à t'enseigner.

J'ai évidemment pensé à Léa. C'était le prétexte idéal pour me rapprocher d'elle.

Ma mère : Je préférerais que ce soit avec un gars.

Moi : Pourquoi ?

Ma mère : Moins de distraction.

Moi (en haussant les épaules) : OK. Je vais demander à Éloi de venir à la maison dimanche pour m'aider à étudier. C'est bon, ça ?

Ma mère a hoché la tête d'un air satisfait avant de se précipiter à l'étage, où mes demi-soeurs hurlaient à pleins poumons.

Ma mère (en redescendant, une jumelle dans chaque bras) : Les filles, je vous ai demandé quarante fois de m'avertir quand vous vouliez faire caca. Je sais que vous êtes devenues grandes, mais vous avez encore besoin de mon aide pour vous nettoyer. La preuve, c'est que vous avez utilisé une boîte de mouchoirs au complet et que vous avez bouché les toilettes.
Camille (en courant vers moi) : Alex ! Juliette et moi on a vu un caca sortir des toilettes et flotter sur le plancher.

J'ai grimacé en enfilant mon manteau.

Moi : Miam. Je vais laisser votre papa et votre maman ramasser ça.
Ma mère (en fronçant les sourcils) : Où vas-tu, jeune homme ?
Moi : Je peux aller chez Sophie ? Elle organise un petit party chez elle.

Ma mère : Et le souper ?

Moi : On va commander de la pizza.

Ma mère : Ses parents seront là ?

Moi (en croisant les doigts dans mon dos) :
Oui, maman.

Ma mère : Tu m'appelles s'il y a quoi que
ce soit ?

Moi : Oui, maman.

Ma mère : OK. Patrick ira te chercher.

Moi : Je peux rentrer en métro.

Ma mère : Hors de question. Il sera chez
Sophie à 22 h.

Moi : 22 h 30 ?

Ma mère : Non.

Patrick a soulevé discrètement son pouce en
souriant, m'indiquant qu'il se chargerait de
m'accorder une demi-heure de plus.

À mon arrivée chez Sophie, j'ai senti que
l'atmosphère était un peu lourde. J'ai donc
syntonisé une liste de chansons créée par Dom
pour animer le party. Le résultat a été tellement
concluant qu'il a même incité les filles à fouiller
dans le bar des parents de Sophie.

Marianne (en soulevant une bouteille de téquila) : Qui veut partager un *shooter* avec moi ?

Maude et Lydia : MOI !

Sophie : Je ne veux pas que mes parents s'en rendent compte.

Marianne : Je la remplirai avec de l'eau. Je faisais tout le temps ça avec mes amies de Vancouver.

J'ai aperçu Maude qui roulait les yeux. Je sais que ça l'énerve profondément quand Marianne fait référence à son ancienne vie dans l'Ouest canadien.

Maude : Pas besoin d'aller à l'autre bout du pays pour connaître ce truc-là.

J'ai pris une poignée de chips et je me suis installé sur le sofa. Sophie m'a rejoint deux secondes plus tard.

Sophie : Veux-tu boire quelque chose, Alex ?

Moi : Non merci. Je conduis.

Elle m'a lancé un regard perplexe.

Sophie : Hein ? Comment ça ? Tu n'as même pas seize ans !
Moi (en souriant) : C'était le but de la blague.

Elle m'a regardé avec des yeux de flétan.

Moi : Tu n'es pas une grande fan d'ironie, hein ?
Sophie : C'est qui, ça ? Une chanteuse ?
Moi : Laisse faire.
Sophie : En tout cas, ta musique est vraiment bonne.
Moi : Merci.

Elle s'est collée contre moi. Au secours.

Marianne (lisant dans mes pensées, en agrippant Sophie par le bras) : Lâche Alex et viens nous rejoindre !

Les filles ont disparu dans une chambre et sont revenues une demi-heure plus tard, complètement saoules.

Maude (en se collant sur José) : T'es beau.
José (en la dévisageant) : Et toi, tu sens
l'alcool !

Maude a éclaté de rire et Lydia s'est écroulée
à côté d'elle. Je me suis levé pour aller aux
toilettes.

Maude : À ta place, je n'irais pas là-dedans.
Sophie est en train de vomir sa vie.

J'ai grimacé. C'était trop d'allusions gastriques
pour la journée.

Moi : OK. Je vais aller à l'étage, d'abord.

Je suis monté, suivi de près par Marianne.

Moi (en me retournant vers elle, amusé) :
Vas-y. Les femmes d'abord.
Marianne (en se collant contre moi) : Et
pourquoi on n'irait pas ensemble ?
Moi (en la repoussant doucement) : Arrête. Tu
as trop bu.

Marianne : Je n'ai pas besoin d'alcool pour te trouver sexy.

Même si j'étais très tenté de l'embrasser, je ne voulais pas trahir Éloi.

Moi : Il vaut mieux rester sages.
Marianne : Pourquoi ?
Moi : Parce que je pense que tu le regretterais.
Marianne : Tu te trompes.
Moi : Tu ne penses pas que ça tuerait tes chances de sortir avec Éloi ?

Elle a détourné le regard.

Marianne (en haussant les épaules) : C'est plus simple avec toi.
Moi (en souriant) : Es-tu en train d'insinuer que je suis un gars facile ?
Marianne (du tac au tac) : Es-tu en train d'essayer de le nier ?

J'ai éclaté de rire.

Marianne (en m'observant attentivement) :
Pourquoi tu n'as jamais de blonde ?
Moi : Parce que je n'ai pas encore rencontré la
perle rare.
Marianne (en boudant un peu) : Et je suis quoi,
moi ?
Moi : Une amie très spéciale qui a un *kick* sur
quelqu'un d'autre ?

Elle a souri.

Marianne : Je sais, mais il n'a pas l'air *full*
intéressé par moi.
Moi : C'est parce qu'il ne te connaît pas assez.
Marianne : Et que me suggères-tu, Cupidon ?
Moi : D'être un peu plus naturelle avec lui.
Marianne (en riant) : Tu sonnes comme une
revue féminine.
Moi (un peu offensé) : Arrange-toi toute seule,
alors.
Marianne (en me retenant par la main) :
Attends. Je m'excuse. Je t'écoute. As-tu
d'autres conseils ?
Moi : Sois moins *bitch*.

Marianne (en me donnant un coup sur l'épaule) : Eille !

Moi : Tu ne vas pas nier que tu es un peu méchante avec le monde que tu n'aimes pas.

Marianne : Un exemple, s'il te plaît ?

Moi : Léa Olivier.

Marianne (en faisant une face de dégoût) : Ça, c'est parce qu'elle le mérite.

Moi : Ah ouais ? Qu'est-ce qu'elle a fait ?

Marianne (en haussant les épaules) : Elle a volé la place de Maude au journal.

Moi : Je pense que c'est plus une question de talent et de personnalité.

Marianne : Et elle tourne autour d'Éloi. Ça m'énerve.

Moi : Ils sont amis, Marianne. Rien de plus.

Marianne : Tu penses ?

Moi : Ouais. Léa a un *chum* et Éloi...

J'ai souri.

Marianne : Quoi ? Qu'est-ce que tu sais ?

Moi : Rien. À part que tu gagnerais à être un peu plus gentille avec les gens qui l'entourent.

Marianne : Est-ce qu'il t'a dit quelque chose à propos de moi ?

J'ai fermé la bouche et j'ai mimé que je la fermais à clé.

Marianne : *Come on !*

J'ai entendu un klaxon à l'extérieur. J'ai consulté le cadran du four.

Moi : 22 h 27. C'est mon beau-père.
Marianne (en souriant) : Sauvé par la cloche.
Moi (en posant un baiser chaste sur sa joue) :
Tu diras au revoir aux autres.

J'ai récupéré mes affaires et j'ai rejoint Patrick dans la voiture.

Moi : Merci d'avoir géré ma mère.
Patrick : 22 h, c'était un peu exagéré. As-tu passé une bonne soirée ?
Moi : Ouais, mais j'ai hâte de me coucher.

En y repensant bien, je suis plutôt fier de moi. Je n'ai pas bu une goutte d'alcool, j'ai résisté aux charmes de Marianne par amitié pour Éloi, je me suis passé la soie dentaire et j'ai écrit environ deux mille pages dans mon journal.

J'espère que Manu interprétera tout ça comme des signes d'ouverture émotive.

A.

Chapitre 3 :
La théorie du triangle équilatéral

Je suis tellement *nerd* depuis quelques jours que je me reconnais à peine. Comme je veux m'assurer de participer au tournoi qui a lieu dans un mois (je me suis inscrit officiellement samedi matin, mais je sais que la menace de tout annuler plane encore sur moi si je n'obtiens pas une bonne note jeudi), j'ai appelé Éloi pour lui demander de l'aide, et il a passé tout l'après-midi d'hier chez ma mère. C'est d'ailleurs elle qui est venue nous interrompre en fin de journée.

Ma mère : Toc ! Toc ! Ça avance ?
Moi : Si je fais un exercice de plus sur les groupes de mots et l'accord des verbes irréguliers, il se peut que mon cerveau court-circuite.
Éloi (en riant) : Je sais que j'ai été intense, mais c'est la seule façon pour que ça te rentre dans la tête.
Moi : Es-tu en train de dire que je suis idiot ?
Éloi : Non. Juste simple d'esprit.

J'ai ri et ma mère est partie, satisfaite.

Moi : De toute façon, il va falloir que j'arrête bientôt. Mon père s'en vient nous chercher.
Éloi : C'est peut-être bizarre comme question, mais est-ce qu'il y a une maison que tu préfères ?
Moi (en haussant les épaules) : Pas vraiment. Ma mère et Patrick sont moins sévères, mais la présence des jumelles rend l'atmosphère tellement chaotique que quand je retourne chez mon père et Brigitte, j'ai l'impression d'être au Club Med !
Manu (en frappant à la porte) : Salut ! Qu'est-ce que vous faites ?
Moi : On étudie.

Manu a éclaté de rire.

Éloi (en souriant) : Crois-le ou non, ton frère dit la vérité.
Manu (en me touchant le front) : Qu'est-ce qui se passe ? Es-tu malade ?

Moi : Non ! Je suis juste motivé à réussir mon exam de français.

Manu : Pourquoi ?

Moi : Je ne peux pas avoir envie de m'améliorer gratuitement ?

Manu m'a lancé un regard rempli de sous-entendus.

Moi : OK, je l'avoue. Il faut que j'obtienne une bonne note pour aller en Beauce.

Manu : Il me semblait, aussi !

Moi (en fronçant les sourcils) : Qu'est-ce que tu veux, Manu ?

Manu : Te demander un service.

Moi : Tu veux que j'assiste à l'un de tes partys de cégep pour faire monter ta cote de popularité ?

Manu : Désolé, mon petit crapaud, mais les enfants ne sont pas admis dans nos fêtes.

Moi (en la poussant hors de ma chambre) : Alors, dégage. J'ai de l'étude à faire.

Je me suis tourné vers Éloi, qui souriait d'un air niais.

Moi : Pourquoi tu fais une face de Câlinours ?
Éloi (en se ressaisissant) : Pour rien. En passant, ta grande soeur est pas mal *cute*.
Moi (en soupirant) : Ah, non ! Pas toi aussi ! Mais qu'est-ce que vous avez tous à succomber à son charme ? Elle est tellement intense !
Éloi (en haussant les épaules) : Je n'ai rien contre les filles avec du caractère.
Moi (en le menaçant avec une efface) : Bas les pattes, chose. Concentre-toi plutôt sur Marianne !
Éloi : Parlant d'elle, elle m'a appelé hier pour me proposer d'aller au cinéma cette semaine.
Moi : C'est cool, non ?
Éloi : Ouais ! J'imagine que c'est en la fréquentant que je pourrai voir si ça clique vraiment entre nous.

Léo, mon demi-frère, est alors apparu à son tour.

Moi : Eille ! Qu'est-ce que tu fais là, toi ?

Léo : Maman voulait venir plus tôt pour que
ta mère lui montre sa nouvelle robe, et moi,
j'avais envie de jouer avec Juliette et Camille.
Moi : Tu as presque quatre ans de plus qu'elles.
Tu n'as pas peur de t'ennuyer ?
Léo (en haussant les épaules) : Elles s'amusent
à m'habiller en poupée. Je trouve ça drôle. À
plus !

Nous avons alors entendu les cris de joie
des jumelles quand Léo est entré dans leur
chambre.

Éloi : Ta famille est impressionnante !
Moi : Je dirais plutôt qu'elle n'est pas reposante.

J'ai raccompagné Éloi jusqu'à la sortie, puis
je me suis installé devant la télé pour relaxer
quelques minutes.

Manu (en surgissant de derrière le sofa) :
Coucou !
Moi (en hurlant sous le coup de la surprise) :
AAAAAH !

Manu (en m'arrachant la manette des mains) :
Donne-moi ça. Je veux regarder mon émission
en attendant qu'on parte.
Moi (en bataillant avec elle) : Pas question.
J'étais là en premier.
Manu (en se postant devant le téléviseur) : Je
vais te laisser tranquille... à condition que tu
m'écoutes.
Moi (en fronçant les sourcils) : Qu'est-ce que
tu veux, Manu ?
Manu : Vendredi, je dois remettre une analyse
cognitive de l'évolution psycho-émotive de
mon sujet.

Je l'ai regardée, les yeux ronds comme des dix
sous.

Moi : En français, ça veut dire quoi ?
Manu : Qu'il faut que je fasse un compte rendu
de l'évolution de ton développement émotif !
Moi : Et concrètement, ça implique quoi ?
Manu (en me tendant la manette) : Qu'on doit
faire une mise au point. Je t'attends donc
jeudi, à 19 h, dans ma chambre.

Elle est partie en sautillant avant que je puisse inventer une excuse pour m'en sortir. Je n'ai décidément droit à aucun répit dans cette famille.

A.

Je me sens comme une souris de laboratoire. Emmanuelle m'a forcé à m'asseoir devant elle et à subir un interrogatoire.

Manu : Premièrement, j'aimerais savoir comment tu te sens.
Moi : Irrité. Ça m'énerve de répondre à tes questions.

Elle a griffonné quelque chose dans son cahier en secouant la tête d'un air découragé.

Moi : Qu'est-ce que tu écris ?
Manu : Que mon cobaye demeure réticent à se confier et à progresser émotivement malgré toute l'attention qui lui est consacrée. J'ai aussi inscrit que cela pouvait être dû à sa lenteur intellectuelle et à sa mauvaise foi.
Moi : C'est toi, la lenteur intellectuelle.

Manu a roulé les yeux et a poursuivi son écriture.

Manu : Et là, je souligne à quel point mon cobaye est immature, ce qui nuit évidemment à son évolution.

Moi : Manu, je respecte mon engagement et j'écris dans ton journal aussi souvent que tu me le demandes, mais j'ai ma semaine dans le corps et j'ai un examen super important demain. Est-ce que tu pourrais accélérer le processus, s'il te plaît ?

Manu : OK, mais comme je n'ai plus accès à tes confidences, il faut absolument que tu répondes à mes questions.

Moi (en roulant les yeux) : Qu'est-ce que tu veux savoir ?

Manu : Est-ce que tu sens que ton journal te sert d'outil psychologique ?

Moi (en haussant les épaules) : Je ne comprends pas la question.

Manu (en pognant légèrement les nerfs) : Est-ce que ça t'aide ou pas ?

Moi : Ça me fait perdre beaucoup de temps.

Manu a poussé un long soupir.

Moi (en m'efforçant d'être un peu plus positif) : Mais j'écris de plus en plus souvent. C'est une bonne nouvelle, non ?

Manu : Ça dépend. Est-ce que tu fais juste dire des niaiseries ou est-ce que tu en profites aussi pour parler de tes craintes et de tes anxiétés ?

Moi : Je dis souvent que ton existence m'angoisse.

Manu m'a jeté un regard noir.

Manu : Peux-tu être sérieux, deux minutes ?

Moi : Non.

Manu : Ce n'est pas moi qui suis pressée. On peut y passer toute la nuit, s'il le faut...

Moi : OK, OK ! J'aborde parfois des sujets relativement personnels. Es-tu contente, là ?

Manu : Quels genres de sujets ?

Moi : Je parle de mes amis. De l'école. De la famille. Du hockey.

Manu (en haussant les sourcils) : Des filles ? Une nouvelle blonde, peut-être ?

Moi : *Nope !*

Manu (en roulant les yeux) : As-tu au moins
une fille dans ta mire ?
Moi (en bafouillant malgré moi) : Euh, je... Pff.
Non.
Manu (en souriant) : Tiens, tiens... C'est qui ?
Moi : Personne.

Manu a refermé son cahier en soupirant avant
de me lancer un regard perçant.

Manu : J'aimerais ça que tu me fasses
confiance, Alex. Pas en tant que future psy,
mais en tant que soeur.
Moi : On n'a jamais eu ce genre de relation,
Manu.
Manu : Je sais, mais il n'est pas trop tard pour
que ça change.
Moi : Qu'est-ce que tu veux savoir, au juste ?
Manu : Comment s'appelle-t-elle ?
Moi : Boîte de bines !
Manu : Dis-le-moi !
Moi : Manche de pelle !
Manu : *Come on !* Tu rougis. Je vois bien que tu
me caches quelque chose !

Moi (en roulant les yeux): Tu ne la connais pas.

Manu: Marianne?

Moi: Non. Ça, c'est fini depuis longtemps.

Manu: Maude?

Moi: *My God!* Non!

Manu: Jeanne?

Moi: Je t'ai dit que tu ne la connaissais pas.

Manu (en insistant et en tapant du pied): Tu peux quand même me donner son nom. Allez! Tu sais que je ne te laisserai pas tranquille tant que tu ne cracheras pas le morceau.

Moi (soupirant): Elle s'appelle Léa.

Manu (en souriant, satisfaite): Et elle sort d'où, cette Léa?

Moi: Elle est nouvelle à l'école. Je la trouve *cute*, mais sans plus.

Manu: Pff! Je vois bien qu'elle te fait de l'effet.

Moi: Je ne suis pas amoureux, Manu.

Manu: Tu pourrais le devenir.

Moi: Impossible.

Manu (en reprenant son cahier de notes): Te crois-tu immunisé à cause du divorce?

Moi: Non! Je n'ai juste pas envie de me compliquer la vie avec une relation.

Manu : Et tu crois vraiment que ta vision
fataliste du couple n'a rien à voir avec la
séparation de nos parents ?
Moi : Même si ta théorie se révélait crédible,
il me semble que la relation entre papa et
Brigitte et celle entre Patrick et maman
devraient me donner espoir, non ?
Manu (en souriant d'un air satisfait) : Sans
parler de celle entre Julien et moi.
Moi (en profitant de son commentaire pour
changer de sujet) : D'ailleurs, comment ça va
entre vous ?
Manu (en esquivant ma question) : On est ici
pour parler de toi, Alex.
Moi : Si tu veux que je m'ouvre à toi, il va falloir
que tu fasses un effort, toi aussi.

Manu a hésité, puis elle a pris une profonde
inspiration.

Manu : Ça va très bien. J'ai décidé d'être
honnête avec lui au lieu de paranoïer de
mon bord, et la conversation qu'on a eue m'a

rassurée. Depuis, il redouble d'efforts pour me prouver que je suis importante à ses yeux.

Moi : Alors pourquoi ai-je l'impression que je le vois de moins en moins ?

Manu (en haussant les épaules) : Parce que je m'arrange pour l'inviter quand tu n'es pas là ?

J'ai soupiré.

Moi (en consultant son réveille-matin) : Je suis contente pour vous, Manu, mais il va falloir que tu embrayes. La partie contre Toronto va commencer bientôt.

Manu : OK, mais sache que Julien s'en vient, et que cette fois-ci, il est hors de question que je te laisse ma télé.

Moi : Est-ce que je peux te donner un conseil ?

Manu (sceptique) : Tu peux toujours essayer.

Moi : Pourquoi tu ne lui offrirais pas de regarder la partie ?

Manu : Parce que je n'aime pas le hockey.

Moi : Et moi, je n'aime pas écrire dans un journal intime, mais je le fais pour te rendre heureuse. Ça, la soeur, ça s'appelle un compromis. Et je suis peut-être nul en matière de couple, mais je sais que tu dois en faire si tu veux que ta relation fonctionne.

Manu m'a regardé en écarquillant les yeux.

Manu : Wow. Tu m'impressionnes.
Moi (en pointant son cahier) : Est-ce que tu peux l'indiquer dans mon évaluation ?
Manu (en souriant) : C'est vrai qu'on peut percevoir ça comme un signe de progrès.
Moi (en frottant mes jointures contre ma poitrine) : Pourquoi t'acharner à améliorer quelqu'un de déjà parfait ?

Manu a souri avant de reprendre son cahier de notes.

Manu : Est-ce qu'on peut en revenir à Léa, maintenant ?
Moi : Je n'ai rien à dire, Manu. Je la connais à peine ! Je la trouve *cute*, mais elle a un *chum*. Fin de l'histoire.

Manu (en plissant les yeux): Alors c'est à mon tour de te donner un conseil utile. Donne-lui une vraie chance au lieu de te dégonfler comme tu le fais toujours.

Moi: Qu'est-ce que tu veux dire?

Manu: Arrange-toi donc pour apprendre à la connaître et pour te montrer un peu plus vulnérable. Je suis pas mal sûre que si tu lui fais découvrir le vrai Alex, son *chum* va prendre le bord bien assez vite!

J'ai souri.

Julien (en frappant à la porte): Salut! Je ne vous dérange pas?

Manu (en courant vers lui pour l'embrasser): Pas du tout! J'essayais juste d'éduquer mon petit frère.

Moi (en roulant les yeux): Sur ce, je vais vous laisser. J'ai un match à regarder.

Manu: Euh, on n'était pas censés le voir tous ensemble?

Julien (en la dévisageant): Tu veux regarder la partie de hockey?

Manu (en lui souriant) : Ben oui. Je suis capable de faire des compromis, moi aussi !

Elle m'a fait un clin d'oeil avant de se rendre au salon. Même si elle a passé la majorité de la partie à texter ses amies, à se limer les ongles, à faire des lectures et à nous sermonner à propos de la brutalité du sport professionnel, j'ai bien senti que Julien appréciait son effort. Ceci constitue la preuve que je suis un excellent médiateur et que, contrairement à ce que pense ma soeur, je ne suis pas un handicapé de l'amour.

A.

Manu va être contente, car j'ai beaucoup de choses à raconter. Commençons par ce qui s'est passé samedi après-midi chez Jeanne, qui avait décidé de profiter de l'été indien pour organiser un barbecue.

Moi (en apercevant Léa Olivier assise un peu plus loin) : C'est cool que tu l'aies invitée à se joindre à nous.
Jeanne (en souriant) : Comme elle traverse une période plus difficile, j'ai pensé que ça lui ferait du bien.
Moi : Comment ça ?
Jeanne : Son *chum* a cassé avec elle.
Moi : Oh. Je vais aller lui remonter le moral, alors.
Jeanne : OK. Mais je t'ai à l'oeil, don Juan !

Elle m'a souri avant de s'éloigner. Je me suis approché de Léa d'un pas nerveux.

Moi (en m'assoyant près d'elle et en faisant une blague pour briser la glace): C'est la présence des saucisses à hot-dog végétariennes qui te rend aussi songeuse?

Elle m'a dévisagé, puis elle a éclaté de rire.

Léa: Exact. Je ne comprends pas pourquoi les gens s'acharnent à gâcher les bonnes choses de la vie en essayant de les rendre saines.
Moi (en lui donnant un petit coup de coude amical): Sans blague, ça va? Tu as l'air un peu triste.
Léa (en restant très évasive): Ouais. Il s'est passé un truc avec quelqu'un de chez moi – bien, de mon ancien chez-moi – qui m'a fait de la peine, et j'ai comme de la misère à m'enlever ça de la tête.
Moi: Laisse-moi deviner: un gars?
Léa (en haussant un sourcil): C'est Jeanne qui t'en a parlé?
Moi: Ouais. Mais ne lui en veux pas. Elle sait qu'elle peut me faire confiance.

Léa (en haussant les épaules) : Bof, au point où j'en suis, tu pourrais même raconter ça aux nunuches!

Moi : Aux « nunuches » ?

Léa (en souriant) : C'est le surnom affectueux que je donne à Maude et à sa gang.

Moi : Cool! Est-ce que je peux te l'emprunter?

Léa : À condition que tu le popularises.

Moi : Je vais faire mon possible.

On est restés silencieux quelques instants.

Moi : Ça faisait longtemps que vous sortiez ensemble?

Léa : Plus de six mois. Mais disons que la distance n'a pas aidé notre couple...

J'ai senti sa voix craquer.

Moi (en essayant de détendre l'atmosphère) : En tout cas, tu as bien fait de venir ici. Rien de mieux qu'une bonne dose de « nunuches » pour te changer les idées.

Elle a souri.

Léa : Et toi ? As-tu une blonde ?
Moi (en riant un peu) : Non. Je suis un éternel célibataire.
Léa : C'est drôle. C'est exactement l'image que je me faisais de toi.
Moi : Ça veut dire quoi, ça ?
Léa : Que tu n'as pas l'air de t'ennuyer !
Moi : Es-tu en train d'insinuer que les relations de couple rendent ennuyants ?
Léa (en haussant les épaules) : Si oui, c'est sûrement pour ça que je me suis fait *flusher*.

J'ai éclaté de rire. J'aimais sa répartie et son autodérision. Je m'apprêtais à la relancer quand je l'ai vue froncer les sourcils. Ses yeux étaient posés sur Marianne qui riait dans un coin.

Moi : J'en déduis que Marianne fait partie des « nunuches » ?
Léa : Mets-en ! Le pire, c'est que je l'ai d'abord perçue comme une alliée, puisqu'elle était

nouvelle, elle aussi. Mais j'ai vite réalisé qu'elle connaissait déjà tout le monde et qu'elle avait décidé de me mettre gratuitement sur sa liste noire.

Moi : Je sais qu'elle peut paraître super condescendante, mais je t'assure qu'elle a ses bons moments.

Léa : Je t'avoue que j'ai de la difficulté à le croire, mais comme tu la défends et qu'Éloi semble aussi l'apprécier, je devrais lui donner le bénéfice du doute.

J'ai décelé une pointe de jalousie dans sa voix.

Moi : Si ça peut te rassurer, c'est purement platonique entre eux.

Léa (en haussant les sourcils) : Éloi est libre de faire ce qu'il veut.

Moi (en souriant) : Si tu le dis.

Jeanne m'a alors interpellé pour que je l'aide avec le barbecue.

Moi (en me levant d'un bond): Veux-tu que je te fasse cuire une saucisse végé? Il me semble que ça te ferait du bien.

Léa: Seulement si ça vient avec du ketchup au seitan ou de la moutarde à la luzerne.

Moi (en souriant): Vos désirs sont des ordres, mademoiselle Olivier!

Je suis allé donner un coup de main à Jeanne, et juste au moment où je m'apprêtais à retourner vers Léa en lui tendant un gros bloc de tofu, j'ai remarqué qu'Éloi avait pris ma place auprès d'elle et qu'ils discutaient sérieusement. J'ai hésité, mais j'ai décidé de les laisser tranquilles. Je sais qu'ils sont devenus de bons copains depuis qu'elle fait partie du journal et je sentais qu'elle avait besoin de se confier à lui. Une partie de moi s'est tout de même demandé si Éloi et moi n'étions pas encore en train de chasser la même fille, mais Marianne m'a aussitôt rassuré.

Marianne (en venant me rejoindre): Merci pour les conseils, Alex.

Moi: De quoi tu parles?

Marianne: De ce que tu m'as suggéré de faire pour me rapprocher d'Éloi.

Moi (en mordant dans mon burger): Tu n'as pourtant pas l'air de te montrer plus chaleureuse envers Léa.

Marianne (en plissant le nez): Ça, c'est parce qu'elle est toujours accrochée à lui et que ça me tape sur les nerfs. Mais je te jure que je redouble d'efforts pour être plus «naturelle» avec lui. Plus douce, en tout cas. Et je crois que ça fonctionne, car il vient de m'inviter au cinéma demain après-midi!

Moi: Cool!

J'ai passé le reste de la journée à faire cuire des boulettes et à jouer au ping-pong avec José, et je me suis couché assez tôt pour être en forme pour mon match d'hier matin.

À ma grande surprise, mon père s'est levé en même temps que moi et a insisté pour m'y conduire. Sa présence m'a d'ailleurs insufflé une dose supplémentaire d'énergie qui m'a permis de marquer un but. Un lancer frappé de la ligne bleue que le gardien n'a jamais vu venir. On a remporté le match 3 à 1.

Léo (en m'accueillant à l'extérieur du vestiaire): Bravo, Alex! Tu étais *full* bon!
Moi (en lui ébouriffant les cheveux): Est-ce que ça veut dire que tu as été attentif, aujourd'hui?
Brigitte (en riant): Mets-en! Il a passé toute la troisième période à commenter le jeu!
Léo: Au début, j'ai un peu confondu les équipes, mais ça s'est arrangé après que tu as fait rentrer le ballon dans le but.
Moi: La rondelle, tu veux dire?
Léo: Oui, c'est ça!

J'ai souri. Léo n'a jamais montré beaucoup d'intérêt pour le sport, mais je sentais que ma passion pour le hockey commençait peu à peu à déteindre sur lui.

Léo: Il va falloir que tu continues à m'enseigner les règles de base!

Mon père (en se penchant vers Léo) : Et d'où vient cet intérêt soudain pour le hockey ?

Léo (en haussant les épaules) : Tous mes amis aiment ça, et je commence à me sentir rejet.

Brigitte : C'est très bien, mon trésor, mais tu n'as pas à te forcer si ça ne t'intéresse pas. Tu as le droit d'avoir tes propres champs d'intérêt.

Mon père : Il existe d'ailleurs plein d'activités qui ne demandent pas d'entraînements aux aurores ou de tournois
en pleine tempête de neige !

Je ne peux m'empêcher de grimacer chaque fois que mon père fait référence aux complications engendrées par mon sport préféré. Je sais que ce n'est pas toujours le *fun* de se lever tôt pour affronter les intempéries hivernales ni de se geler les fesses sur un banc d'aréna en buvant du mauvais café et en mangeant des pogos décongelés, mais ce qu'il semble oublier, c'est que c'est lui qui m'a acheté mes premiers patins quand je n'avais que trois ans et qui m'a transmis son amour de la Sainte-Flanelle en me faisant regarder tous les matchs avant même que j'entre en maternelle. C'est comme si ses souvenirs s'étaient évaporés quand il avait fondé sa «nouvelle» famille.

Wow. C'est la première fois que j'admets que son attitude m'affecte. C'est Manu qui serait contente!

Parlant d'elle, elle m'a félicité dès que nous sommes rentrés à la maison et que je lui ai raconté l'issue du match.

Manu: Bravo, Alex! Je suis sûre que cette victoire va vous aider à gagner le tournoi.
Mon père: Attendons de voir combien tu as obtenu à ton test de français avant de célébrer ton départ.

J'ai souri et je suis allé chercher ma copie, que le prof avait corrigée tout de suite à la fin de mon examen. J'avais obtenu 89%.

Moi (en posant fièrement la feuille sur le comptoir de la cuisine): Ta-dam!

Mon père : Wow ! Bravo, mon fils ! C'est la preuve que tu peux obtenir des résultats au-dessus de la moyenne quand tu t'appliques !

Moi (souriant) : Est-ce que ça confirme que je peux aller en Beauce ?

Mon père (en soupirant) : Oui. Mais je tiens à ce que tu continues à te concentrer sur tes études !

Moi (en sautant de joie) : Promis, papa !

Je m'apprêtais à téléphoner à Alexis pour lui annoncer la bonne nouvelle quand Manu est venue m'interrompre.

Manu : Est-ce que je peux te parler ?

Moi (pince-sans-rire) : Tu veux poser des électrodes sur ma tête pour comprendre ce qui me rend aussi intelligent ?

Manu (du tac au tac) : Non. Je veux analyser les grands trous de ton cerveau.

J'ai roulé les yeux.

Manu : Sans blague, je voulais te remercier pour l'autre soir. Julien est aux anges depuis que je lui ai fait part de ta théorie sur les compromis.

Moi : Ça me fait plaisir.

Manu : Et ça me donne espoir en mon projet, car je pense réellement que ç'a un impact positif sur toi.

Moi : Je pense que tu confonds tes rêves et la réalité.

Manu : Tu peux t'obstiner tant que tu veux, Alex, mais je vois bien qu'il y a un petit agneau sensible qui se cache sous ta carapace de lynx.

Elle m'a envoyé un sourire satisfait avant de s'éloigner. Et si ma sœur disait vrai ? J'avoue que j'éprouve parfois une certaine satisfaction à écrire ce que je ressens au lieu de tout refouler. Est-ce que ça fait de moi une fleur bleue ?

A.

Comme je manque un peu de motivation aujourd'hui et que je n'ai vraiment pas le goût de m'épancher sur des sujets sérieux, je vais en profiter pour t'exposer ma théorie du triangle équilatéral.

Pour ce faire, je vais relater la discussion que j'ai eue ce midi avec Alexis alors qu'il me rendait visite à l'école.

Lui (en s'installant à une table avec un plateau) : J'aimerais ça être transféré ici l'an prochain. Il me semble que c'est tranquille.
Moi : Les apparences sont trompeuses.
Lui : *Come on!* Vous êtes, genre, dix étudiants dans toute l'école. Ça ne doit pas barder autant que dans ma grosse polyvalente.
Moi : Je sais que c'est l'impression que ça donne, mais si tu observais les élèves de plus près, tu réaliserais qu'il y a pas mal plus d'action que tu le penses.

Alexis a pris une bouchée de poutine tout en scrutant les alentours. Son regard s'est finalement posé sur Sophie, qui parlait dans l'oreille de Lydia tout en essuyant une larme.

Alexis: Elle, pourquoi pleure-t-elle?
Moi: Parce qu'elle m'aime.

Alexis a éclaté de rire.

Alexis: OK, don Juan. C'est quoi la vraie raison?
Moi: Je ne te niaise pas. Elle répète à tout le monde qu'elle est amoureuse de moi.
Alexis: Et pourquoi tu ne la rends pas heureuse en lui donnant ce qu'elle veut?
Moi (en plissant le nez): Elle n'est pas mon genre.
Alexis (en haussant les épaules): Pourtant, elle est *cute*.
Moi: Tu n'es tellement pas une référence, Alexis Gendron!
Alexis: Pourquoi?

Moi : Parce que tu trouves que TOUTES les filles sont belles et que tu es de loin le gars le plus facile que je connaisse.

Alexis (en me lançant une frite) : Ta gueule ! Je suis plus sélectif que tu penses !

Moi : Prouve-le ! Nomme-moi une fille qui ne t'intéresse pas.

Alexis : Facile : Maude. Mais pour en revenir à toi et à la petite rousse, je pense que tu devrais lui donner une chance.

Moi : Non. J'ai quelqu'un d'autre dans ma mire.

Alexis : Qui ça ?

Moi (en pointant Léa, qui jasait avec Éloi) : Elle.

Alexis : Hum. *Cute* aussi. Penses-tu *scorer* bientôt ?

Moi (en lui lançant une frite à mon tour) : *Come on, dude !* Un peu de respect !

Alexis (sarcastique) : Je m'excuse de vous avoir offensé avec mon franc-parler, monsieur Gravel-Côté. Je vais reformuler : penses-tu avoir une chance avec elle ?

Moi : Je ne suis pas sûr encore. On commence à mieux se connaître, mais l'équilibre du triangle m'inquiète.

Alexis m'a regardé comme si je venais de lui parler chinois.

Moi : Je ne t'ai pas encore exposé ma théorie du triangle équilatéral ?
Alexis : Non.
Moi : *Man*, ça va changer ta vie. Depuis la rentrée, j'ai réalisé que les triangles amoureux compliquaient souvent les choses avec les filles. Et quand monsieur Perez nous a fait réviser les notions de géométrie, j'ai eu une épiphanie.
Alexis (visiblement amusé) : Je t'écoute !
Moi : Tant et aussi longtemps que le triangle amoureux présente des côtés égaux, tout va bien, mais si le triangle devient isocèle et que tu représentes le petit côté, c'est là que ça va mal.
Alexis (en riant) : Peux-tu m'expliquer ça avec un exemple vivant ?
Moi (en pointant discrètement Katherine) : Katherine a *frenché* José l'an passé. Ç'a créé tout un drame et c'est resté tendu pendant longtemps, parce que Maude la soupçonnait d'être amoureuse de José, et que ce dernier

n'avait pas l'air de la haïr non plus. Mais je connais assez José pour savoir que ce qui l'attirait dans tout ça, c'était la nouveauté, et qu'au fond, c'est Maude qu'il aimait.

J'ai pris un papier et un crayon pour illustrer mon exemple.

Moi : Comme le côté de Kath est inférieur à celui de Maude, on se retrouve avec un triangle isocèle, et Kath n'a aucune chance contre sa rivale.
Alexis : Peux-tu maintenant me donner un exemple de triangle équilatéral ?
Moi : Oui. Prenons Léa Olivier, Éloi et moi. Comme tu sais, j'ai un *kick* sur elle, et je crois bien que je ne la laisse pas indifférente. L'affaire, c'est que je commence à réaliser que même si Éloi fréquente un peu Marianne, il a aussi un oeil sur Léa. La seule donnée qui me manque, c'est celle qui représente son intérêt pour Éloi. Si celle-ci est équivalente à l'intérêt qu'elle me porte, alors on est en présence d'un équilibre parfait. Un triangle équilatéral

qui me donne autant de chance qu'Éloi de conquérir Léa. Mais si jamais je me rends compte que je suis pogné avec le petit côté, je vais devoir laisser tomber et me concentrer sur une autre équation.

Alexis a éclaté de rire.

Alexis : OK, le *nerd.* Mais il me semble que ce n'est pas ton genre d'abandonner la bataille aussi facilement. Si tu veux conquérir Léa, tu peux très bien transformer ton triangle isocèle en équilatéral, ou même faire disparaître le troisième côté.

Moi : Je sais, mais Éloi est un bon gars, et je ne veux pas m'obstiner avec lui si ça clique entre eux. Bref, si jamais je vois que ça ne penche pas en ma faveur, je m'attaquerai à une proie plus facile.

Alexis (en pointant Sophie) : Genre à elle ?

Moi (en secouant la tête) : J'ai quand même besoin d'un minimum de défi.

Alexis (en désignant Jeanne du menton) : J'espère qu'elle ne fait pas partie de tes équations débiles, parce qu'elle est dans ma mire.

Moi : C'est une très bonne amie, mais je vais te laisser le champ libre. Je me sens généreux.

Alexis (en secouant la tête) : Je ne peux pas croire que tu m'as fait perdre quinze minutes en me parlant de maths.

Moi (en chiffonnant ma feuille de papier et en lui lançant la boule sur la tête) : Pff. Tu es juste jaloux et ébloui par mon génie.

Jeanne est finalement venue s'asseoir avec nous, ce qui nous a forcés à changer de sujet. On s'apprêtait à se lever quand Léa s'est approchée.

Léa : Salut !

Moi : Léa, je te présente mon ami Alexis. Il a décidé de venir coller ici ce midi.

Alexis : Ouais. J'ai tellement pas de vie que je viens fréquenter votre école quand j'ai une journée pédagogique.

Léa a ri.

Jeanne : Veux-tu t'asseoir avec nous ?

Léa : Je ne peux pas. Je dois passer au local du journal.

Des cris de filles ont alors retenti autour de nous.

Alexis : Qu'est-ce qui se passe ?

Moi (en pointant Félix Olivier du doigt) : C'est le frère de Léa. Il est plus populaire que Carey Price auprès des filles.

Léa : Ouais. Il aime ça attirer l'attention quand il vient faire son tour dans notre aile.

Alexis (en me chuchotant à l'oreille) : La bonne nouvelle, c'est qu'il est en train de te créer un beau triangle équilatéral.

Il a pointé discrètement en direction de Sophie, qui bavait littéralement en observant Félix Olivier. Mais ce dernier était trop concentré sur sa conversation avec Katherine pour s'en apercevoir.

Léa (en nous saluant de la main): On se voit plus tard!

Moi: Léa?

Léa (en se retournant): Oui?

Moi: Viens-tu au party d'Halloween de l'école demain soir?

Léa (en rougissant un peu): Euh, je ne sais pas encore.

Moi: *Come on!*

Jeanne: Viens t'humilier avec nous!

Léa (en souriant): Je vous promets que je vais y penser! À plus tard!

Éloi l'a rejointe près de la sortie et Alexis s'est à nouveau penché vers moi.

Alexis: Je pense que ton chien est mort, *man*! Le triangle est assurément isocèle.

Je lui ai donné une bine tout en espérant qu'il ait tort et que la balance penche en ma faveur.

A.

Chapitre 4 :

Halloween, bateau brun et autres curiosités

J'ai vécu une fin de semaine tellement intense que j'ai l'impression d'avoir été renversé par un camion.

Vendredi soir, c'était le party d'Halloween de l'école. J'en ai profité pour sortir mon vieux costume de boxeur. J'ai rejoint José au métro, qui s'était costumé en vedette d'Hollywood, et on s'y est rendus ensemble.

José : Si je te dis quelque chose, est-ce que tu me jures de ne pas le raconter ?
Moi : Yep.
José : J'ai rencontré une fille hier après l'école.
Moi (pince-sans-rire) : Est-ce que Maude est au courant ?
José (en soupirant) : Relaxe. Il ne s'est rien passé. Elle s'est assise à côté de moi dans le métro et m'a souri. Elle avait des fossettes et ça m'a fait craquer, alors je me suis présenté. Elle s'appelle Lily.

Moi : Et qu'est-ce que tu comptes faire ?
L'inviter à une *date* avec ta blonde ?
José (en sortant son cellulaire et en haussant
les épaules) : Pour l'instant, nos textos
platoniques me conviennent parfaitement.
Elle est drôle et pas compliquée. Ça fait
changement de ma relation.
Moi : J'en déduis que ça va déjà moins bien
avec Maude ?
José (en soupirant) : Un drame n'attend pas
l'autre avec elle. J'ai besoin d'air. J'ai besoin
d'un *break*.
Moi (en pointant son téléphone) : Et moi,
j'ai besoin d'un cellulaire. J'espère que mes
parents se mettront d'accord pour m'en
acheter un à Noël.
José : *Man*, ça va changer ta vie. Tu vas pouvoir
texter trois *chicks* en même temps.

J'ai ri. Même si José est le *chum* le plus croche
et le gars le plus macho que je connaisse, je le
trouve divertissant.

Nous sommes entrés dans le gymnase et nous y avons tout de suite aperçu Léa, qui était déguisée en chat et qui jasait avec des filles du journal.

José (en se penchant à mon oreille) : Parlant de *chicks*... Miaou !

Léa m'a fait un signe de la main et Maude s'est alors jointe à nous.

Maude (en faisant battre ses faux cils) : *Babe*, je te cherchais partout.
Moi (en niaisant) : Je suis là, *babe*.
Maude (en me faisant une grimace) : Je ne m'adressais pas à toi. Mais j'en connais une qui t'attend avec impatience.

Elle a pointé en direction de Sophie, qui me fixait avec des yeux gros comme des vingt-cinq sous.

Moi : Je ne peux pas m'occuper d'elle. Je suis le *bodyguard* de José, ce soir.

Maude (en se collant sur son *chum*): Je
t'avertis tout de suite: tu risques de te sentir
de trop.

J'ai vu José détourner la tête vers une fille de
secondaire 5 costumée en infirmière.

Maude (en lui prenant la tête et en le forçant à
la regarder): Qu'est-ce que tu viens de faire?
José: Respirer?
Maude: Je t'ai vu regarder la conne déguisée
en pitoune!
José: Tu hallucines, *babe. Sólo tengo ojos para ti.*
Maude (en hurlant): J'ai passé deux heures à
me maquiller et à m'arranger pour que tu me
trouves belle, et au lieu de me complimenter,
tu regardes les autres filles dans ma face?
Tu es tellement con, José Martinez! Tu ne me
mérites pas!

Elle est partie en pleurant, suivie de près par
ses amies.

José (en soupirant): Tu vois ce que je veux
dire? Ça vire toujours au drame.

Moi : Je sais que ça ne me regarde pas, mais je pense que si tu faisais un effort pour éviter de *cruiser* les autres filles devant elle, ça t'aiderait.

José : Comment veux-tu que je me retienne ? Regarde toutes ces *mamacitas* !

Il s'est alors avancé vers Léa, qui se servait à boire.

José : Salut, Léa. Tu es pas mal sexy dans ton costume. As-tu envie de danser ?

Léa (en se tournant vers nous, confuse) : Hein ? Sexy ? Ah... euh... merci. C'est gentil de me l'offrir, mais je vais passer mon tour. Je ne suis pas très douée et je ne tiens pas à ce que Maude m'arrache les moustaches.

Moi (en saisissant ma chance) : Veux-tu danser avec moi, d'abord ? Comme je suis le gars avec le moins de coordination au monde, tu te sentiras presque bonne à mes côtés !

Léa (en souriant) : OK !

Elle a déposé son verre et on a essayé de suivre le rythme d'une chanson rock, sans trop de succès. Heureusement, il y a eu un *slow* juste après et j'en ai profité pour l'attirer vers moi. Je pouvais sentir sa nervosité, mais je ne savais pas si c'était lié à moi ou au malaise de se retrouver dans les bras d'un autre gars alors qu'elle venait juste de casser avec son *chum*. Plus la chanson avançait, et plus elle se détendait. J'en ai d'ailleurs profité pour la garder contre moi quelques secondes supplémentaires. Quand je l'ai sentie se détacher de mon corps, j'ai fait exprès de tourner la tête, question que nos lèvres se frôlent. Mon geste prémédité a eu l'effet escompté puisque je l'ai sentie frissonner.

J'ai souri et je me suis éloigné. Petit train va loin. J'ai ensuite passé une bonne partie de la soirée à aider José et sa gestion de crise de couple. Je suis finalement retourné sur la piste de danse, et j'ai aperçu Marianne qui boudait, les bras croisés.

Moi: Pourquoi tu fais cette face-là?

Marianne: Parce que Léa la tomate danse avec Éloi.

Moi: Je pensais que ça évoluait bien, votre affaire?

Marianne: Moi aussi! On s'est même embrassés après le cinéma!

Moi: Sortez-vous ensemble?

Marianne: On n'a pas eu de conversation pour rendre ça «officiel».

Moi: Arrête de capoter pour rien. Éloi n'est vraiment pas du genre à *frencher* une fille sans que ça veuille rien dire.

Maude et José sont alors venus nous interrompre. Ils hurlaient à tue-tête.

José: Arrête de capoter! Tu ruines le party de tout le monde!

Maude: Tu es un con! Je ne sais pas pourquoi je perds mon temps avec toi! Je mérite quelqu'un qui me traite comme une princesse!

José: Arrête de te prendre pour la reine des blondes! Tu n'es jamais contente et tu chiales toujours pour rien.

Maude : Je ne me plaindrais pas si tu arrêtais de *cruiser* tout ce qui bouge. Je ne suis plus capable d'endurer ça ! Venez, les filles. On part d'ici !

Marianne a évidemment sauté sur l'occasion pour arracher Éloi à Léa et José m'a forcé à le suivre chez lui sous prétexte que le party était *lame.*

Quand je suis rentré chez moi samedi matin, j'ai reçu un appel de Marianne qui m'a raconté qu'après l'avoir aidée à gérer Maude, Éloi l'avait raccompagnée chez elle et qu'elle en avait profité pour l'embrasser à nouveau et pour officialiser leur relation. Évidemment, leur nouvelle union fait un peu mon affaire puisqu'elle exclut Éloi de l'équation géométrique qui nous unit à Léa. Je ne veux toutefois pas trop brusquer les choses, car je vois bien qu'elle se remet encore de sa peine d'amour.

Samedi après-midi, Patrick m'a conduit à mon match de hockey. On a perdu 4 à 1, ce qui augure plutôt mal pour le tournoi de cette semaine. Notre équipe a un très bon potentiel, mais elle se compare un peu à celle des Canadiens de Montréal : elle ne connaît aucune constance et elle manque parfois de coeur. Quand je suis rentré à la maison, j'étais donc d'humeur massacrante.

Ma mère (en nous accueillant à la porte) : Alors ? Avez-vous gagné ?
Patrick (en me pointant du doigt) : Selon toi ?
Ma mère (en grimaçant) : Hum. Désolée, Alex. Mais je suis certaine que vous allez vous reprendre la fin de semaine prochaine.

J'ai grommelé une réponse et je me suis servi un verre de lait.

Ma mère (en embrassant Patrick et en me désignant du menton) : Est-ce qu'il est aussi dynamique depuis qu'il est sorti de l'aréna ?
Patrick (en souriant) : Yep. J'ai juste eu droit à quatre soupirs et un grognement.

Ma mère (en s'approchant de moi): Sais-tu ce qui te remonterait le moral?

Moi: Apprendre que vous avez annulé votre soirée et que je n'ai pas besoin de garder les filles?

Ma mère: Non. Je crois au contraire qu'une soirée avec tes soeurs t'aidera à te changer les idées.

Moi: Savoir que Manu a eu pitié de moi et a annulé ses plans avec Julien?

Ma mère: Aucune chance. Il l'emmène au restaurant pour célébrer leurs deux ans de relation.

Moi: Quoi, alors?

Ma mère: Manger la bonne pizza que je viens de commander pour les jumelles et toi.

Moi (en me renfrognant davantage): Je suis une cause désespérée, maman. Même mon amour pour le pepperoni n'arrive pas à me redonner le sourire.

Ma mère: Veux-tu qu'un ami se joigne à toi?

Moi: Penses-tu vraiment qu'Alexis, Dom ou José vont sacrifier leur samedi soir et leurs plans d'Halloween pour donner le bain à deux enfants de trois ans?

Ma mère : *Une* amie, alors?

Moi (en haussant les épaules): Non, c'est correct. Je vais m'arranger.

Elle a poussé un petit soupir de soulagement avant de m'embrasser sur le front.

Patrick (en enfilant son manteau): Tu nous appelles s'il y a quoi que ce soit, OK?

Ma mère : Mais si tu peux, évite de le faire.

Patrick a fait de gros yeux à ma mère.

Ma mère : Quoi? On n'a jamais de soirée en amoureux et j'ai envie d'en profiter. Et je sais que mon grand garçon de presque quinze ans est assez mature et débrouillard pour prendre soin de ses adorables petites soeurs, les laver et les mettre au lit d'ici notre retour.

Patrick: Parlant de ça, c'est important que tu les couches au plus tard à 20 h 30. Sinon, elles se transformeront en tornades.

Ma mère : Patrick a raison. Si elles dépassent l'heure du dodo, tu risques d'avoir de la misère à contenir leur dynamisme.
Moi : J'ai de la difficulté à les imaginer plus hyperactives qu'elles ne le sont déjà.

Camille et Juliette sont alors arrivées dans le salon en courant. Elles avaient fouillé dans les tiroirs et avaient utilisé de vieilles guenilles pour se déguiser en princesses.

Camille : J'ai faim. Où est la pizza ?
Moi : Elle va arriver d'une minute à l'autre.
Juliette : Et le chocolat ?
Moi : Croyez-moi, vous n'avez pas besoin de consommer du sucre.
Patrick (en se penchant vers elles) : Les filles, papa et maman s'en vont dans une soirée, mais votre grand frère Alex restera ici avec vous. C'est lui le boss, alors soyez sages.
Camille (en s'accrochant au pied de ma mère) : NON ! Je ne veux pas que tu partes !
Juliette (en tirant sur la manche de Patrick) : Reste avec nous, papa !

Moi (en m'efforçant de sourire) : *Come on*, les filles, on va avoir du *fun*! On va manger de la pizza et je vais vous apprendre le nom des joueurs étoiles du Canadien.
Ma mère (en les embrassant) : On viendra vous border à notre retour, OK? Je vous aime très fort!

Ma mère et Patrick sont sortis en vitesse et mes demi-soeurs ont aussitôt éclaté en sanglots. J'ai soudain été pris de panique. C'était la première fois que je me retrouvais seul aussi longtemps avec elles, et comme les jumelles ne me voyaient qu'une semaine sur deux, je sentais que ma présence ne leur offrait pas le réconfort dont elles avaient besoin.

Moi (en essayant de me remémorer mes chansons de camp pour détendre l'atmosphère) : J'ai une idée! On va chanter pour avoir du *fun*! Allez, répétez après moi: *Si tu aimes le soleil, tape des mains!* Clap! Clap! *Si tu aimes le soleil, tape des mains!* Clap! Clap!

J'ai d'abord cru que mon intervention avait fonctionné puisque leurs pleurs ont cessé. C'est quand Camille s'est mise à crier et que Juliette m'a donné un coup de pied dans le tibia que j'ai compris qu'il leur faudrait plus qu'une simple mélodie et que la soirée s'annonçait longue.

Heureusement, la pizza est arrivée quatre minutes plus tard, ce qui a créé une certaine diversion. Je les ai installées dans le salon en espérant qu'elles mangent calmement et s'endorment devant *L'Ère de glace*, mais comme mes soeurs possèdent la même capacité d'attention qu'un poisson rouge, mon plan s'est rapidement transformé en cauchemar. Elles se sont mises à se lancer des projectiles alimentaires et à sauter sur le sofa, laissant des traces de sauce tomate un peu partout.

Moi (en suant légèrement) : Juliette ! Arrête de lancer du pepperoni ! Camille, lave-toi les mains avant de toucher les murs !

J'avais beau gesticuler de toutes mes forces, les jumelles ne m'accordaient aucune attention. Elles étaient possédées par une force maléfique qui cassait tout sur son passage sans se soucier des répercussions.

Tout à coup, j'ai senti une sorte de pression dans ma poitrine. Une anxiété grandissante qui me donnait envie de me mettre en boule et de pleurer.

C'est alors qu'un cri primitif est sorti de ma bouche.

Moi : ÇA SUFFIIIIIIIIT !
Juliette (en m'observant, stoïque) : Je vais le dire à maman que tu as crié.
Moi (en reprenant peu à peu mes esprits) : Et moi, je vais lui dire que vous avez joué au Tic-Tac-Toe sur les murs avec la sauce à pizza.
Camille (en faisant battre ses cils pour m'amadouer) : Alex ? Je veux quelque chose de froid qui donne de l'énergie.

Moi (en plissant le nez): Pas du Redbull, quand même?

Camille (sans savoir de quoi je parle): OUI! JE VEUX DU REVBULE!

Moi: Euh, tu es un peu jeune pour ça.

Camille: REVBULE! REVBULE!

Moi (en m'agenouillant vers elle): Crois-moi, Camille, tu n'en as pas besoin.

Camille: Pourquoi?

Moi: Parce que tu es tombée dans un gros chaudron de boisson énergisante quand tu étais bébé. Comme Obélix avec la potion magique.

Juliette: Moi aussi, je veux quelque chose de froid qui donne de l'énergie!

Moi (en me creusant la tête): Comme quoi?

Camille: Un popsicle.

Juliette: OUI! Un possssicule!

J'ai soupiré.

Moi: Je ne peux pas. Vos parents m'ont interdit de vous faire manger du dessert.

Juliette: Pourquoi?

Moi : Parce que c'est mauvais pour vous.
Camille : Pourquoi ?
Moi : Parce que ça va vous rendre encore plus hyperactives et que je risque de m'arracher les cheveux avec une pince à épiler.
Juliette : Pourquoi ?
Moi : Parce que ce serait moins pénible que de vous endurer pendant une surdose de sucre.
Camille : Pourquoi ?
Moi : Parce que trop de sucre, c'est comme pas assez.
Juliette : Pourquoi ?
Moi : Parce que ça peut être dangereux.
Camille : Pourquoi ?
Moi : Parce que ça peut entraîner la mort.

Je m'attendais à une autre question, mais j'ai plutôt eu droit à un flot de larmes. Je me suis alors souvenu qu'il valait mieux éviter d'aborder les thèmes lugubres avec les jeunes enfants et que Léo avait pleuré pendant cinq jours quand je lui avais expliqué que son hamster avait quitté ce monde. Brigitte avait même été obligée d'inventer toute une théorie à propos du paradis des rongeurs pour qu'il retrouve enfin son calme.

Moi: Non, c'était une blague! Vous êtes éternelles, les filles!

Les pleurs ont redoublé en intensité.

Camille: Je ne veux pas mourir de sucre!
Moi: Ça n'arrivera pas! Promis!
Juliette: Je ne veux pas être éternelle!
Moi: Crois-moi: ça aussi, c'est impossible.
Camille et Juliette: JE NE VEUX PAS ALEX! ALEX EST MÉCHANT!
Moi (en soupirant, vaincu): Si je vous laisse manger un popsicle, est-ce que vous allez me pardonner?
Camille (en cessant aussitôt de pleurer): Oui.
Moi: Et vous allez arrêter de mettre vos petites mains sales partout?
Juliette: Oui.
Moi: Et vous allez vous calmer et regarder le hockey avec moi?
Juliette et Camille: OUI!

Les filles se sont finalement tues dès que je leur ai remis leurs sucettes glacées et elles sont même restées tranquilles devant la télé tandis que je nettoyais leurs dégâts.

La situation a toutefois dégénéré sept minutes plus tard lorsque le sucre des popsicles a commencé à faire effet. Cette fois-ci, j'ai décidé de les laisser courir d'un bout à l'autre de la maison en misant sur l'impact de l'exercice physique sur le sommeil.

Vers 20 h, je leur ai fait couler un bain en espérant que l'eau chaude et la mousse calment leurs ardeurs. À 20 h 10, je les ai invitées à me rejoindre dans la salle de bains. À 20 h 12, j'ai couru dans tous les recoins de la maison pour les attraper et les mettre de force dans la baignoire. À 20 h 14, je me suis retrouvé trempé quand elles se sont mises à deux pour m'arroser. À 20 h 16, j'ai réussi à les déposer dans la baignoire. À 20 h 18, j'ai lavé leurs cheveux. À 20 h 20, j'ai brossé leurs dents. Et à 20 h 21, j'ai entendu un cri strident.

Juliette: AAAAAHHHH!
Moi: Juliette, pourquoi cries-tu comme ça?
Juliette: BATEAU BRUN!
Moi: Hein? De quoi tu parles?

Elle a alors pointé en direction d'une
substance brune flottant à la surface de l'eau.
J'ai grimacé et je les ai sorties de la baignoire
en quatrième vitesse.

Camille (en regardant de plus près): Wow!
Mon caca peut flotter!
Juliette: C'est un caca bateau!
Moi (complètement dégoûté): Camille, tu
aurais dû me dire que tu avais envie d'aller aux
toilettes au lieu de t'exécuter dans le bain!
C'est dégueulasse!

La lèvre inférieure de ma petite soeur s'est
aussitôt mise à trembler.

Moi: Non, ne pleure pas! Je ne voulais pas te
faire de la peine! C'est juste que là, je dois
vider la baignoire, et ça me dégoûte un peu.

Juliette (en voulant capturer le bateau brun):
Ce n'est pas dégueu. C'est drôle.
Moi: Juliette! Ne touche pas à ça!

Je les ai expulsées de la salle de bains sans
les vêtir et j'ai verrouillé la porte pour avoir
la paix tandis que je gérais la situation du
«bateau brun». Pour ce faire, j'ai dû plonger
ma main dans l'eau et tirer sur la chaînette du
bouchon de la baignoire en grimaçant, puis
j'ai ensuite attendu que l'eau s'échappe pour
récupérer la substance dégoûtante avec un
sac en plastique en retenant une forte nausée.

Quand j'ai finalement rouvert la porte, j'ai
aperçu mes demi-soeurs qui étaient assises
par terre et qui chuchotaient en rigolant.

Moi: Hum, votre tranquillité m'inquiète.
Qu'est-ce qui se passe?
Juliette (en levant les yeux vers moi et en
feignant l'innocence): Rien.
Moi: Je vous connais assez pour savoir que
vous manigancez quelque chose.

Camille (en pointant sa soeur): Ce n'est pas moi. C'est elle.
Moi (en fronçant les sourcils): Juliette? Qu'est-ce que tu as fait?

Elle a baissé les yeux et j'ai aperçu un liquide sur le plancher.

Juliette (en l'étalant avec son doigt): Je n'ai pas fait exprès.

C'est là que j'ai compris. Après le caca dans la baignoire, je devais maintenant nettoyer le pipi sur le plancher. J'ai soulevé Juliette et j'ai réalisé qu'elle en avait mis partout, incluant dans ses cheveux et dans ceux de sa soeur.

J'ai réprimé une envie de prendre mes jambes à mon cou et j'ai regagné les toilettes pour faire couler un deuxième bain. Je crois que les filles ont senti mon désespoir (ou alors elles ont eu pitié de moi), car cette fois-ci, elles sont restées sagement près de moi. Comme leurs intestins et leurs vessies étaient vides, j'ai pu les nettoyer sans trop d'anicroches. Ce n'est qu'une fois dans leur chambre que j'ai senti qu'un nouveau danger me guettait.

Moi: Juliette, mets ton pyjama. Maman l'a sorti pour toi.
Juliette: Je ne l'aime pas! Je veux celui avec Dora.
Moi: C'est Camille qui l'a, ce soir.
Camille (en narguant sa soeur): Nana, na, na, na, na!
Moi: Camille, arrête ça, sinon je retire le tien.
Juliette: Je veux Dora!
Moi: Impossible. Mais je peux essayer de t'en trouver un autre, si celui avec des étoiles ne t'inspire pas.

Je me suis mis à fouiller leurs tiroirs.

Moi (en lui tendant un nouveau pyjama): Pat'Patrouille?
Juliette: NON!
Camille: Moi, je le veux!

Moi (en souriant): Parfait! Tu pourras donc donner celui de Dora à Juliette.

Juliette: Je ne veux pas Dora! Je veux Pat'Patrouille!

Moi: Mais tu viens de me dire que tu ne voulais rien savoir des chiens détectives!

Juliette (en pleurnichant): JE LE VEUX! JE LE VEUX!

Camille: MOI AUSSI!

J'ai pris une profonde inspiration et je me suis mis la tête dans un tiroir pour étouffer un cri.

Juliette: Qu'est-ce que tu fais, Alex?

Moi (en relevant péniblement la tête): Rien. Je cherche une solution.

Camille (en arrachant le pyjama des mains de sa soeur): Donne-le-moi!

Moi (en intervenant): J'ai un compromis à vous proposer. Juliette enfilera le chandail de Dora et le pantalon de Chase, tandis que Camille portera le chandail de Marcus et le pantalon de Babouche. Ça vous va?

Juliette et Camille ont hoché la tête.

Moi : Maintenant, c'est l'heure du dodo !

Les filles se sont aussitôt mises à bondir d'un lit à l'autre.

Moi : *Dans* le lit, les filles. Il est super tard !
Camille (en sautant) : Je veux une histoire !
Juliette (en se joignant à elle) : Oui ! Oui ! Une histoire !
Moi : Euh, laquelle ?
Camille : Celle que maman nous raconte tout le temps !
Moi : Ça ne me dit pas grand-chose, ça !
Juliette : Celle avec le renard !
Camille : Et le lion !

Je me suis assis près d'elles en souriant.

Moi : Il était une fois une lionne et un renard qui vivaient dans la forêt.
Camille : Papa m'a dit que les lions vivaient dans la jungle.

Moi : OK. Il était une fois une lionne et un renard qui vivaient dans la jungle.

Juliette : Avec les éléphants ?

Moi : Oui.

Camille : Les renards vivent au même endroit que les éléphants ?

Moi : Non, mais dans mon histoire, oui. Bref, ils vivaient dans la jungle et adoraient s'amuser à se balancer d'une liane à l'autre.

Juliette : C'est quoi une liane ?

Camille : Une amie de la lionne ?

Moi : Non. Ça ressemble à une vigne.

Juliette : C'est quoi une vigne ?

Moi : C'est un type de plante.

Camille : Papa dit que les plantes sont vivantes. Donc si la lionne et le renard tirent trop fort sur la vigne, ils vont lui faire mal.

Moi : Non, car elle est très forte.

Juliette : Ton histoire est plate.

Moi : Ça, c'est parce que je n'ai pas encore eu le temps de la commencer.

Camille : Qu'est-ce qui arrive ensuite au renard et à la lionne ?

Moi : Euh, ils se balancent et ils s'amusent, et ils rient. Ils deviennent ensuite des amoureux.
Camille : C'est quoi, des amoureux ?
Moi : C'est comme ton papa et ta maman.
Juliette : Beurk ! Et après ?
Moi : Euh, après, ils vécurent heureux et eurent de nombreux enfants. C'est fini !
Juliette : Comment un lion et un renard peuvent avoir des enfants ?
Moi : Euh, ben... en s'aimant beaucoup.
Camille : Et ça donne quoi comme bébé ?
Moi : Un relion. Ou un lirenard.
Juliette : Alex ? Comment on fait les bébés ?

J'ai écarquillé les yeux. Comment pouvait-elle me poser une telle question à trois ans et demi ? Et qu'est-ce que j'étais censé répondre ?

Moi (en toussotant) : Je viens de vous le dire. En s'aimant beaucoup.
Camille : Donc si j'aime maman, papa, et toi et Léo, je vais avoir des bébés ?

Au. Secours.

Moi : Non. En fait, tu dois attendre d'être grande. Beaucoup plus grande. Genre grande comme maman. Et avoir un amoureux. Et l'aimer beaucoup. Et là peut-être que vous aurez des enfants.

À mon grand bonheur, ma réponse a semblé la satisfaire.

Moi : Sur ce, je vais éteindre la lumière et vous allez faire de beaux rêves. Bonne nuit, les filles !

J'ai fermé la porte de leur chambre et je me suis écroulé sur le sofa du salon en poussant un long soupir de soulagement. La voix de Juliette m'a toutefois rapidement sorti de mon état végétatif.

Juliette : Alex ? J'ai soif !

J'ai soupiré et je lui ai apporté un verre d'eau.

Moi (en refermant la porte) : Bonne nuit !

Juliette (en criant à nouveau) : Alex ? J'ai envie de pipi !

Cette idée de les rendre propres, aussi. J'ai regagné leur chambre et je l'ai accompagnée aux toilettes.

Moi (en la bordant pour la troisième fois) : Bonne nuit !
Camille (avant même que je sois sorti de la chambre) : Alex ? J'ai peur !
Moi : De quoi ?
Camille : Du lirenard.
Moi : Pas besoin d'avoir peur. Il est super gentil et il te protégera contre les méchants.
Juliette : Quels méchants ?
Moi : Euh... Les monstres ?

Mauvaise réponse.

Les filles se sont aussitôt mises à hurler.

Moi : Chut ! Il est 21 h 30 ! Vous devez dormir !

Juliette : Je ne peux pas ! J'ai trop peur des monstres relions !

Camille : Et moi des méchants lirenards.

Moi (épuisé et vaincu) : Si je m'installe ici avec vous, est-ce que vous allez me promettre de dormir ?

Juliette : Non.

Camille : On veut la chambre de papa et maman.

Juliette : Avec toi.

Camille : Et de la lumière.

Juliette : Et Dora.

Camille : Et quelque chose de froid qui donne de l'énergie.

J'ai abdiqué et je les ai installées avec un verre de lait dans le lit de ma mère devant un film d'animation.

J'ai fini par m'assoupir à côté d'elles, et c'est finalement ma mère qui m'a réveillé vers minuit et demi.

Ma mère (en me secouant doucement): Alex?
Tu peux aller dans ton lit! Nous sommes
rentrés.
Moi (en me frottant les yeux et en paniquant):
Juliette? Camille? Où sont-elles?
Ma mère: Dans le salon.
Moi: Hein?
Ma mère: Je crois qu'elles se sont réveillées
après que tu t'es endormi, ou alors elles n'ont
jamais fermé l'oeil.
Moi: Je m'excuse. Elles m'ont tellement épuisé
que je n'ai pas été capable de lutter contre le
sommeil.
Ma mère: Ne t'en fais pas! Elles sont saines et
sauves, et c'est tout ce qui compte.
Patrick (en arrivant dans la chambre et en
souriant): Alors, tu as survécu?
Moi: De peine et de misère...
Ma mère: Et les filles?
Patrick: Je viens de les coucher. Alex, pourquoi
me parlent-elles de bateau brun et de relion?
Moi (en secouant la tête): Ce serait trop
long à résumer. Mais sachez que je n'ai rien
à voir avec la baignoire qui est sale. Ni avec

le plancher qui est couvert de pipi. Ni avec le sofa taché de sauce tomate.

Ma mère m'a souri.

Ma mère (en me caressant les cheveux): C'est correct. On nettoiera tout ça demain.

Je m'apprêtais à sortir de leur chambre quand je me suis retourné vers elle.

Moi: Maman?
Ma mère (en levant les yeux vers moi): Hum?
Moi: Bravo pour tout ce que tu fais.

Elle m'a lancé un regard stupéfait.

Ma mère: Qu'est-ce qui me vaut cet honneur?
Moi: Je sous-estimais ton travail. Pas celui d'avocate. L'autre.

Elle m'a souri, émue. Je les ai salués de la main et je me suis effondré dans mon lit, prêt à dormir pendant deux jours.

Juliette et Camille en ont toutefois décidé autrement et sont venues me réveiller à 8 h pour que je leur fasse à déjeuner. C'est normalement Manu qui s'attèle à cette tâche lorsque nous sommes chez ma mère, mais les jumelles m'avaient élu chouchou de la journée.

Je me suis ensuite rendu à la patinoire pour un entraînement intensif de dernière minute imposé par Ron, notre entraîneur. Quand je suis rentré à la maison, j'ai essayé de faire mon devoir de maths, mais j'ai fini par m'endormir sur mon manuel.

Ce matin, j'ai donc dû demander à Éloi (qui est pas mal plus bolé que José) de copier le sien avant le cours.

Éloi (en s'installant à côté de moi à la cafétéria) : Grouille ! Je dois le remettre dans cinq minutes.
Moi (en écrivant le plus vite possible) : Attends. Je veux ajouter des chiffres un peu partout pour ne pas éveiller de soupçons.
Éloi : Monsieur Perez n'est pas Sherlock Holmes, *man*.

Moi (en lui rendant sa copie) : En passant, Marianne m'a dit que tu sortais officiellement avec elle ? Félicitations !

Éloi (en haussant les épaules) : Je ne perds rien à essayer.

Moi (sarcastique) : Wow ! Tu as l'air amoureux pas à peu près !

Éloi (en chuchotant) : Tu sais très bien que j'ai mes doutes quant à Marianne. Mais c'est vrai que j'ai découvert un côté plus sensible qui me plaît bien en passant du temps avec elle, alors on verra.

Moi : Il semblerait que tu ne sois pas le seul à avoir une nouvelle blonde.

Éloi m'a lancé un regard inquisiteur. J'ai pointé en direction de Félix Olivier, le frère de Léa, qui était de passage dans notre aile pour embrasser Katherine.

Éloi (en fronçant les sourcils) : Hum. Ça explique l'humeur bizarre de Léa ce matin.

Moi : Elle n'aime pas Katherine ?

Éloi (en haussant les épaules) : Je pense qu'elle croit que c'est plutôt l'inverse et que c'est Kath qui ne la porte pas dans son coeur.

Moi : Elle a tort. Jeanne et Katherine la trouvent super gentille. C'est vraiment de Maude et de ta blonde qu'elle devrait se méfier.

Éloi : Ne t'en fais pas pour Marianne. Je m'occupe de la gérer.

Moi (pince-sans-rire) : Ouin ! On voit qui tient les rênes dans votre couple !

Éloi (en riant) : T'es épais !

La cloche a sonné, nous annonçant le début des cours. J'ai passé la journée à courir de gauche à droite et je me sens lessivé. Cela ne m'a toutefois pas empêché de te relater ma vie et de battre un nouveau record de pages écrites d'un seul coup dans mon journal. Je m'en vais d'ailleurs montrer ça à Manu en espérant qu'elle perçoive ça comme un signe de guérison du choc post-traumatique à la suite du divorce de mes parents ! ;)

A.

Non seulement ma soeur n'a pas été impressionnée par la quantité et la qualité de mon travail, mais en plus, elle m'a forcé à te trimballer en Beauce en me répétant à quel point c'était important que je récapitule mes aventures et que je décrive «de quelle façon la compétition peut avoir un impact parfois nocif sur l'estime personnelle.»

Visiblement, elle ne connaît rien au sport. Ce qui est cool dans un tournoi, c'est justement cette rivalité qui s'installe au restaurant, dans l'hôtel, et surtout, sur la glace et qui nous donne l'adrénaline nécessaire pour jouer avec intensité pendant soixante minutes et obtenir une victoire. Et c'est exactement ce qui nous a permis d'atteindre les demi-finales qui auront lieu demain. Et si je veux que ça continue, je dois me reposer au lieu de t'écrire. Sans compter que si mes coéquipiers tombent sur toi, je peux mettre une croix sur ma réputation. Bref, ma soeur devra se contenter de ce minirésumé, car je m'en vais de ce pas te cacher au fond de ma valise.

A.

J'ai tellement vécu de hauts et de bas au cours des derniers jours que je ne sais pas trop par où commencer. Hier, nous avons livré une bataille acharnée sur la glace et nous avons remporté le match 1 à 0 en prolongation contre l'équipe qui s'attendait à gagner le tournoi. Quand Benjamin a réussi à loger la rondelle dans le coin supérieur droit du filet, j'ai bondi dans les airs et je lui ai sauté dans les bras. Le reste de mes coéquipiers est aussitôt venu se joindre à nous. Pour la première fois depuis des semaines, je commençais sérieusement à croire qu'on pouvait remporter un tournoi.

Comme j'avais plutôt le coeur à la fête, j'ai ensuite décidé de défier le couvre-feu et de suivre quatre de mes coéquipiers dans un party organisé par un gars de l'équipe hôtesse (qui s'était fait éliminer en première ronde). Quand nous sommes arrivés, je me suis demandé si je n'avais pas plutôt atterri dans une fête de collégiens américains. Du rap résonnait dans les haut-parleurs, des cannettes de bière jonchaient le sol et des gens s'embrassaient aux quatre coins de la maison emboucanée. Je n'ai pas osé l'admettre devant les autres, mais je ne me sentais vraiment pas à ma place. Je préfère de loin les réunions intimes où on peut écouter de la bonne musique et jaser avec ses amis. Sans oublier que je n'aime pas boire. Mon expérience de l'été dernier avec Dom et une bouteille de vodka m'a laissé un mauvais souvenir de cuvette et de mal de tête.

Je me suis finalement installé dans un coin plus tranquille et J-D est venu me rejoindre quelques instants plus tard.

J-D: C'est *sick* comme party.
Moi: HEIN?
J-D (en criant pour se faire entendre): C'est débile ici! Ça me donne le goût de déménager en région! Et as-tu vu les demoiselles? WOW!

J'ai ri en secouant la tête. Il est reparti en flèche tandis qu'une fille s'assoyait près de moi. Elle avait l'air tout aussi perdue que moi.

Moi (en lui tendant la main) : Salut! Je m'appelle Alex. Bienvenue dans le seul endroit de la maison où les décibels ne te rendront pas sourde!

Elle a souri.

Elle : Moi, c'est Julianne.
Moi : Tu viens d'ici?
Julianne : Non. De Québec. Je suis venue assister au tournoi de mon frère avec mes parents, et il m'a pratiquement forcée à le suivre ici.
Moi : Est-ce que tu regrettes?
Julianne (en me souriant) : Je t'avoue qu'en entrant ici, j'ai eu envie de le tuer. Mais heureusement pour moi, j'ai réussi à trouver un gars *cute* qui n'a pas l'air d'un *douchebag* et qui est prêt à me tenir compagnie.

J'ai souri à mon tour. Je n'étais pas habitué de rencontrer des filles aussi directes.

Julianne : En passant, bravo pour votre victoire d'aujourd'hui.
Moi : Merci. Désolé pour la défaite de ton frère.
Julianne (en haussant un sourcil) : Je pense qu'il est en train de s'en remettre.

Elle a pointé en direction d'un joueur de l'équipe qu'on avait vaincue le jour même et qui embrassait une petite blonde.

Julianne : C'est vraiment déprimant, comme party. On s'en va ?
Moi (un peu surpris) : Euh, où ça ?

Elle m'a tiré par la main sans me donner plus de détails. J'ai enfilé mon manteau et je l'ai suivie dehors. On a déambulé dans les rues de Saint-Georges en discutant de tout et de rien. J'ai entre autres appris qu'elle avait seize ans et qu'elle venait juste de casser avec son *chum* parce qu'il l'avait trompée avec sa meilleure amie. Ouch.

Julianne (en se frottant les mains) : Il fait un peu froid. On rentre quelque part ?
Moi : Penses-tu vraiment qu'il y a un endroit ouvert à cette heure à part le Tim Hortons ?
Julianne (en haussant les épaules) : Il y a les bars.
Moi : Pour les gens majeurs, oui.
Julianne : J'ai une fausse carte.
Moi : Pas moi. Et je suis pas mal certain que ma face imberbe va trahir mon âge.
Julianne : C'est-à-dire ?

J'avais peur qu'elle parte en courant en apprenant que je n'avais que quatorze ans.

Moi : Quinze. Bientôt seize.

Elle a souri d'un air satisfait.

Julianne : On peut aller au bar de l'hôtel. Ils ne nous gosseront pas si on prend un Coke.

Moi (en souriant): J'aimerais ça, mais j'ai un gros match demain, et si je me fais pogner, je risque de me faire suspendre de l'équipe.
Julianne (pince-sans-rire): Tu es un bon garçon. Mon père t'aimerait.

J'ai souri.

Julianne: Tu partages une chambre avec tes parents?
Moi: Non.
Julianne: Ben là! On va aller *chiller* là, d'abord.
Moi: Impossible. Je cohabite avec trois de mes coéquipiers qui sont aussi orphelins en fin de semaine.
Julianne: Et tu crois qu'ils sont là?

J'ai hésité. Le petit démon dans ma tête avait envie de lui avouer que le chemin était libre et de l'inviter à me tenir compagnie, mais l'ange me dictait de rester sage. Et de ne pas tirer profit du fait qu'elle avait le coeur brisé et qu'elle se sentait vulnérable. C'est évidemment lui qui a gagné. Je m'énerve, des fois.

Moi : Non, mais ils devraient rentrer d'une minute à l'autre.

Julianne (en riant) : J'ai un mauvais karma, ce soir.

On a marché jusqu'à l'hôtel et j'ai réalisé que sa chambre était située tout près de la mienne.

Moi (en sortant ma carte magnétique de mes poches) : C'était vraiment cool comme soirée.

Julianne (en me l'arrachant des mains) : Est-ce que je peux au moins rentrer pour te souhaiter bonne nuit ?

J'ai hoché la tête en souriant.

Julianne (en ouvrant la porte de notre chambre) : Ouin, c'est pas mal le bordel, ici !

Moi : C'est ça qui arrive quand quatre gars cohabitent. Je peux te laisser seule deux minutes ?

Julianne : Ça devrait aller.

Moi : Si jamais tu te perds, tu n'as qu'à crier !

Je me suis enfermé dans la salle de bains et j'ai pris quelques minutes pour me rafraîchir, pour me mettre du déodorant et pour me brosser les dents. Quand je suis sorti, Julianne était assise au pied de mon lit et me souriait d'un air mystérieux.

Moi : Pourquoi tu me regardes comme ça ?

Julianne (en haussant les épaules) : Je te trouve beau.

J'ai rougi malgré moi. Elle s'est levée et s'est approchée de moi.

Julianne (à quelques centimètres de ma bouche) : Comme je n'ai pas ta chance et que mes parents dorment à deux mètres de mon lit, c'est ici que nos chemins vont devoir se séparer. C'est dommage, car j'aurais aimé que tu m'aides à oublier la trahison de mon ex.

Je me suis mordu la lèvre inférieure, puis je me suis avancé vers elle pour l'embrasser.

Moi (en me détachant doucement) : *Done.*

Elle (en souriant): Merci.
Moi: Pour?
Elle: Me faire sentir un peu mieux.
Moi: Merci à toi, Julianne.
Elle: Pour?
Moi: Pouvoir me vanter auprès de mes amis
que j'ai embrassé une fille de secondaire 5.

Elle a éclaté de rire, puis elle a sagement
regagné sa chambre. Je me suis alors laissé
tomber dans mon lit et j'ai dormi comme
une bûche. Je n'ai même pas entendu mes
coéquipiers lorsqu'ils ont regagné la chambre.

Ce matin, je me suis réveillé avec un mal de
tête dû au manque de sommeil. J'ai jeté un
regard vers les lits voisins pour m'apercevoir
que Kevin, J-D et James dormaient encore à
poings fermés et que la chambre sentait le
fond de tonne.

C'est quand je me suis levé pour aller à la salle
de bains que j'ai réalisé que ma valise était
ouverte et que mon linge était éparpillé tout

autour. Mon coeur s'est aussitôt emballé.
C'est là que j'avais rangé le journal intime
que ma soeur m'avait forcé à trimballer avec
moi. J'ai soulevé mes chandails et boxers pour
m'apercevoir qu'il avait disparu.

Moi (en continuant de fouiller comme un fou):
OH, NON! MERDE! MERDE!

J'ai entendu les gars grommeler.

Kevin: *Dude,* je dors.
Moi (en me postant devant son lit): Qui a
fouillé dans mes affaires?

Kevin s'est tourné sur le dos, puis il s'est frotté
les yeux.

Kevin: Hein? De quoi tu parles?
Moi (en tirant sur leurs couvertures): Réveille!
C'est qui l'innocent qui a ouvert ma valise?
James (en sortant de son état comateux):
Qu'est-ce qui se passe?

J-D (sans bouger) : J'ai mal au coeur. J'ai mal à la vie.

Moi : Il se passe que quelqu'un a fouillé dans mon sac et m'a piqué mon... Et m'a volé des trucs.

James (en s'assoyant dans son lit) : Alex, ça nous a tout pris pour rentrer à l'hôtel et arriver à nous mettre au lit sans alerter le *coach*. J-D était tellement saoul qu'il a fallu l'aider à monter les marches et Kevin s'est endormi dans le corridor. Penses-tu vraiment qu'on avait l'énergie d'ouvrir ta valise pour jouer dedans ?

J-D s'est levé et a couru vers les toilettes pour vomir.

James (en pointant la salle de bains du doigt) : Tu vois ce que je veux dire ?

Moi : Ben là ! Ce n'est sûrement pas un étranger qui est entré dans la chambre et qui est venu foutre le bordel pendant que je dormais ?

Kevin (en haussant les épaules) : Rien n'est impossible.

James : Qu'est-ce qui a disparu de ta valise ?

Moi : Un... livre.

Kevin : Sérieux, *man*? Tu capotes pour un livre? Sais-tu que les bibliothèques en sont remplies?

Moi : Ouais, mais il n'était pas à moi. Et il avait une valeur sentimentale.

Je les ai observés pendant quelques secondes. Non seulement ils avaient l'air sincères, mais je les connaissais assez pour savoir que s'ils avaient vraiment lu mon journal, leurs moqueries fuseraient déjà de toutes parts.

Kevin (en soupirant et en se levant de peine et de misère) : Il ressemble à quoi, ton précieux livre?

Moi : Il est noir.

James : Et c'est quoi, le titre?

J-D est alors sorti des toilettes et s'est laissé choir sur une chaise. C'était le temps de faire ressortir mes talents de comédien.

Moi : Euh... *Moby Dick*. C'est un classique qui appartient à ma soeur. Et elle tenait absolument à ce que je le lise parce qu'elle voulait en faire une dissertation psychanalytique. La copie lui appartient, et elle va me tuer si je la perds.

James (en regardant autour de lui tout en soupirant) : *Moby Dick*, où es-tu ?

Moi : En passant, le titre n'apparaît pas sur la couverture du livre. C'est juste un gros carnet noir.

J-D (en pointant faiblement en direction de ma table de nuit) : Tu parles de ça ?

Je t'ai alors aperçu à quelques mètres de moi.

Moi (en te prenant dans mes bras et en te serrant contre moi) : Oui ! OH ! Merci, *man* ! Si tu n'étais pas vert et que tu ne sentais pas le vomi, je te *frencherais* !

Les gars ont ri et ont commencé à se disputer pour savoir qui aurait accès à la douche en premier. Apparemment, ils avaient avalé mon histoire.

J'ai profité de leur distraction pour te feuilleter rapidement. Je n'étais pas fou. Je me souvenais très bien que je t'avais caché au fond de ma valise. Il me restait maintenant à découvrir qui t'avait trouvé et déposé à cet endroit. C'est là que j'ai vu le petit message à la dernière page. Je ne sais pas pourquoi je n'avais pas allumé avant.

Encore merci pour la cool soirée. Tu resteras toujours le mystérieux gentleman de Saint-Georges de Beauce.

J.

Voilà qui élucidait le mystère. Et si Julianne avait eu le culot de fouiner dans mes affaires pendant que j'étais aux toilettes, je me doutais qu'elle ne s'était sans doute pas gênée pour te lire. Heureusement qu'elle habitait loin et que je ne comptais pas la revoir de sitôt!

Je t'ai déposé dans mon sac à dos, j'ai rangé ma valise et j'ai sauté sous la douche (froide,

puisque les gars étaient passés avant moi)
avant de rejoindre le reste de l'équipe au
restaurant de l'hôtel. Après le déjeuner, on
s'est rendus à l'aréna pour la grande finale.
Dès les premières minutes de la partie, j'ai
senti que la volonté manquait et que la
bataille serait difficile. Le party de la veille
avait amoché nos meilleurs joueurs, et notre
frustration grandissante nous poussait à
commettre des erreurs niaiseuses, qui nous
ont valu plusieurs pénalités et qui ont fini par
nous coûter le match.

Après la défaite, l'ambiance dans le vestiaire
était aussi funeste qu'à un enterrement. Notre
entraîneur est entré et nous a regardés avec
un air solennel.

Lui: Une partie de moi a envie de vous dire que
je suis fier de vous, car je ne croyais vraiment
pas qu'on arriverait à se rendre en finale,
mais le match qu'on a réussi à arracher hier
m'a montré qu'on était capables d'accomplir
de grandes choses. Là où ça déconne, c'est

qu'on vient d'encaisser une défaite contre une équipe qu'on pouvait facilement battre. J'ai bien senti que votre coeur n'y était pas, et ça me fait beaucoup de peine.

J'ai baissé les yeux. C'est rare que notre *coach* soit si émotif. J'avais honte de l'avoir déçu.

Lui : Ramassez vos affaires. L'autobus part dans trente minutes.

Le retour vers la maison s'est déroulé dans le silence. Je savais bien que mes coéquipiers s'en voulaient autant que moi d'avoir laissé filer la médaille d'or. Quand je suis finalement rentré chez mon père, ce dernier m'attendait dans la cuisine.

Mon père : Alors ?
Moi : On a perdu en finale.
Mon père (en brassant sa sauce à spaghetti) : Pas mal ! Bravo, fiston !
Moi (en haussant un sourcil) : Papa, je viens de te dire qu'on vient de perdre un match. Je ne vois vraiment pas ce qu'il y a à célébrer.

Mon père : Ben, l'important, c'est que vous vous soyez rendus jusque-là, non ?

J'ai secoué la tête, incrédule. Jamais mon père n'aurait tenu un tel discours il y a quelques années si la Coupe avait échappé de si peu aux Canadiens.

Moi : Honnêtement, je trouve ça plus frustrant qu'autre chose.
Mon père : Je sais. Mais vous ne pouvez pas toutes les gagner.
Moi : Ouais, mais un trophée de temps en temps, ça ferait quand même du bien au moral.
Mon père : Votre début de saison laisse présager plusieurs belles victoires.

Moi : Qu'est-ce que tu en sais ? Tu n'as assisté qu'à un seul de mes matchs.
Mon père (en haussant les épaules) : Disons que j'ai fait mes recherches pendant ton absence.

Moi (surpris): Tu as été consulter notre fiche?
Mon père: Oui.
Moi: Es-tu vraiment en train de me dire que
tu as fouillé sur Internet pour analyser nos
résultats?
Mon père (en riant): Ne sois pas si surpris! Je
rate déjà un week-end sur deux. Il faut bien
que je fasse un petit effort si je ne veux pas
perdre le fil de ta saison.

J'ai souri. J'étais content que mon père
m'accorde enfin un peu plus d'attention.

Après le souper, je suis monté dans ma
chambre pour finir mes devoirs. Manu est
apparue une dizaine de minutes plus tard.

Manu: Tiens, un revenant!
Moi: Pff. Tu peux bien parler Madame-j'ai-
des-plans-plus-importants-que-vous-pour-le-
souper.
Manu: Les parents de Julien m'ont invitée à
manger de la fondue. Alors, ton tournoi?
Moi: Mouvementé. Surtout parce que ma
grande soeur m'a forcé à traîner son projet

de fin de session et que quelqu'un est tombé dessus.

Manu (en s'assoyant sur mon lit): Ne me dis pas qu'un des gars de l'équipe a lu ton journal?

Moi: Non. Juste une fille que j'ai rencontrée là-bas.

Manu (en souriant): Ben là! C'est une super bonne nouvelle, ça!

Moi: De quoi tu parles?

Manu: Si cette fille a lu ton journal, ça veut dire qu'elle a réussi à plonger dans ton âme. Elle a eu accès à ton fameux jardin secret! Tu peux enfin construire une relation sur des bases solides en lui montrant ta vraie nature au lieu de jouer le rôle du gars-trop-cool-et-trop-indépendant-pour-se-montrer-vulnérable.

Je l'ai dévisagée.

Moi: C'est juste une fille que j'ai embrassée, Manu. Elle habite loin et il est hors de question que je m'embarque dans une relation à distance avec une fille qui a eu « accès à mon potager intime ».

à distance avec une fille qui a eu «accès à mon potager intime».

Manu (en se relevant et en lissant sa jupe): Si tu dis ça, c'est que tu as encore du progrès à faire sur le plan émotif.

Moi (sarcastique): Je ne m'attendais à rien de moins comme conclusion.

Manu (en posant ses mains sur ses hanches): Je ne niaise pas, Alex! J'ai noté quelques améliorations sur le plan de ton ouverture émotive, mais j'attends encore de voir des résultats concluants.

Moi: Qu'est-ce que tu veux, Manu? Que je me fiance à une fille qui habite à Québec et à qui j'ai parlé pendant deux heures?

Manu: Non! Je veux simplement que tu assumes ta vulnérabilité en t'ouvrant à elle! J'ai besoin de sentir qu'il n'y a plus de trafic sur ton autoroute émotionnelle.

Moi (en la poussant hors de ma chambre): OK, Freud. J'ai eu une mauvaise journée et je n'ai pas besoin de tes sermons psychosensoriels. *Bye!*

J'ai fermé ma porte et j'ai allumé mon ordi pour prendre mes courriels et pour flâner sur Facebook. C'est là que j'ai vu que j'avais reçu une demande d'amitié de la part de Julianne Morin. J'ai consulté sa photo de profil, et comme de fait, il s'agissait bel et bien de ma conquête du samedi soir.

Elle avait lu mes confidences, et voilà qu'elle me retrouvait pour mieux m'humilier sur les réseaux sociaux. J'ai fermé le clapet de mon ordi sans lui répondre. Je n'arrivais pas à déterminer ce qui était pire. L'ignorer et risquer qu'elle se venge en citant des parties de mon journal sur Facebook ou accepter sa demande et lui donner accès à mes contacts?

Heureusement, la nuit porte conseil!

A.

Chapitre 5 :
Cupidon et gros jambon

Mercredi 11 novembre, 21 h 51

J'avoue que ma mésaventure de la fin de semaine dernière m'a donné envie de te détruire pour m'éviter plus de malheurs, mais comme je sais que Manu en ferait une crise d'apoplexie, j'ai songé à un plan d'action plus élaboré pour me débarrasser de toi. Pour ce faire, ma soeur doit croire qu'elle a enfin obtenu les résultats qu'elle voulait. En d'autres mots, si je veux avoir la paix et retrouver ma liberté, Manu doit avoir la conviction que j'ai bel et bien dégagé mon «autoroute émotive» en ouvrant mon coeur à une fille.

Hier soir, j'ai donc commencé à soupeser les différentes options qui s'offraient à moi.

A) Reconquérir Marianne. Comme nous avons un historique, ce ne serait pas difficile d'expliquer à Manu que nous avons repris et que j'ai décidé de nous donner une vraie chance en lui ouvrant mon coeur. Le hic, c'est qu'elle fréquente maintenant Éloi, et comme je l'ai déjà dit, je ne suis pas du genre à me battre quand l'équation géométrique ne joue pas en ma faveur. Sans compter qu'il existe une sorte de règle qui m'interdit de voler une fille à un ami.

B) Séduire enfin Jasmine. Ce serait évidemment un rêve que d'arriver à conquérir l'amie de ma soeur qui m'a rejeté du revers de la main au début de l'été, d'autant plus que c'est à cause d'elle que je suis pogné pour te raconter ma vie. Mais comme elle me perçoit vraisemblablement comme un rejeton prépubère, la bataille s'annonce très difficile. Et même si je suis un gars qui aime généralement les défis de taille, mon objectif est vraiment de satisfaire ma soeur au plus sacrant.

C) Julianne Gosselin. Comme Julianne connaît probablement déjà ma vie, il serait assez simple de faire croire à ma soeur que nous avons un lien cybernétique profond qui encourage l'introspection. Je me dois donc de m'investir et de bâtir réellement un début de relation avec Julianne, si je veux en montrer des preuves tangibles à Manu. C'est d'ailleurs ce qui m'a poussé à accepter sa demande d'amitié ce matin. Je me croise les doigts pour ne pas le regretter.

D) Léa Olivier. Je n'ai pas besoin de répéter qu'elle me plaît beaucoup. Le hic, c'est que notre relation demeure platonique et que je me suis rendu compte qu'elle était encore très accrochée à son ex en lisant son article dans le journal étudiant ce midi.

José (en s'installant à côté de moi à la cafétéria): Qu'est-ce que tu fais?
Moi: Je lis.
José: Arrête d'être *nerd* et aide-moi à trouver une nouvelle prospect.
Moi (en haussant un sourcil): C'est déjà fini avec la fille du métro?
José (en mordant dans son sandwich): Ça n'a jamais commencé. Elle avait un *chum*, finalement.
Moi: Et Maude?
José: J'ai besoin d'air, *man*. Et de nouveauté. Il faut que j'ouvre mes horizons et que je commence à fréquenter des filles qui n'ont

aucun lien avec Maude. D'ailleurs, on pourrait pas organiser un party avec Alexis pour qu'il invite les *chicks* de son école?

Moi : Je vais lui en parler.

José : Merci, *man!* Je me souviens que, quand je suis allé voir votre match en début de saison, il y avait pas mal de filles dans les estrades qui venaient de sa poly, alors je crois que...

Je ne l'écoutais plus que d'une oreille. Léa venait de s'asseoir à une table avec Jeanne et je ne pouvais m'empêcher de la regarder. Elle niaisait sans se préoccuper des gens autour. Je pense que ce qui m'attire autant chez elle, c'est cette espèce de nonchalance et de non-superficialité qui la distingue des autres.

José (en cliquant des doigts pour attirer mon attention) : *Dude,* je te parle!

Moi : Excuse-moi, j'étais dans la lune.

José (en regardant ce qui avait capté mon regard) : Pff! *Bullshit!* Tu bavais encore devant la petite nouvelle!

Moi (en riant) : Tu exagères ! Je la trouve *cute*, mais sans plus.

José : Arrête de niaiser et fais un *move* ! Ce n'est pas dans tes habitudes de tourner autour de la *puck*.

José avait raison. Je suis généralement plutôt direct et fonceur quand une fille me plaît.

Comme je n'avais pas grand-chose à perdre, j'ai donc décidé de suivre son conseil et d'être moins subtil en abordant Léa après l'école, alors qu'elle ramassait ses livres dans son casier, qui est situé tout près de celui de José.

Moi : Salut, Léa !

Léa : Allo, Alex !

Moi : Je voulais juste te féliciter. C'est beau ce que tu as écrit dans le journal. Je ne savais pas que ton ex t'avait brisé le coeur à ce point -là.

Léa (en baissant les yeux, un peu mal à l'aise) : Ouin. Ce n'est jamais facile, les peines d'amour.

Moi (du tac au tac) : Est-ce que tu l'aimes encore ?

Léa (un peu décontenancée) : Euh, je... Oui et non. C'est compliqué.
Moi : En tout cas, n'hésite pas à me faire signe si jamais tu as le goût de te changer les idées !

Je lui ai envoyé un petit clin d'oeil qui l'a aussitôt fait rougir. Ça me faisait un petit velours de sentir que je ne la rendais pas indifférente. José s'est esclaffé et m'a aussitôt donné un coup de coude dans les côtes.

José : *That's my boy !*

Léa a souri.

Léa : Merci, Alex. C'est gentil.

Elle est partie et José m'a fait un *high five*.

José : Là, je te reconnais !
Moi : Ouais, mais reste que ça n'avance pas assez vite à mon goût.
José : Raison de plus pour organiser un party !
Non seulement je pourrai *cruiser* plein de

nouvelles filles, mais tu pourras enfin faire un *move* sur elle! *Come on, dude!* On fait ça samedi!

Moi: Impossible. Je suis chez ma mère et on aura les tornades dans les pattes.
José: L'autre d'après, alors?
Moi (en haussant les épaules): Peut-être. Je crois que mon père a un congrès au Saguenay et qu'il part avec Brigitte et Léo. Laisse-moi vérifier ça avec lui.
José (en se frottant les mains): Cool! Et n'oublie pas d'en parler à Alexis pour qu'il invite TOUTES les filles de sa classe.
Moi: Relaxe. Ce n'est pas un *open house*!

Quand je suis sorti de l'école, Alexis et ses parents m'attendaient dans la voiture pour nous conduire à une pratique de hockey. La première depuis notre défaite cuisante de la fin de semaine dernière.

Moi (en soupirant): Penses-tu que Ron va vouloir se venger en nous faisant souffrir sur la patinoire?

Alexis: C'est clair. Il est tellement émotif comme entraîneur!

Moi: On le mérite, *man*. On a vraiment mal joué.

Alexis (en chuchotant): Parle pour toi et pour les autres morons qui se sont saoulés la veille au party.

Moi (en baissant le ton aussi): Pff! Tu es juste jaloux parce que tu n'as pas pu y aller!

Alexis: Ouin. Pas facile avec les parents qui ronflent à côté.

Moi (en m'assurant que ses parents n'écoutaient pas): Et si je t'offrais une occasion de te reprendre?

Alexis: Tu veux me ramener à Saint-Georges pour que je goûte à leur vie nocturne?

Moi: Ben non, épais. Mais José m'a suggéré d'organiser un party...

Alexis (en criant): *OH YES!*

Sa mère (en se tournant vers nous): Qu'est-ce qui te rend aussi heureux?

Alexis: Euh, je viens de me rappeler que j'avais obtenu une bonne note en maths.

Sa mère lui a lancé un regard suspicieux avant de se retourner vers l'avant.

Moi (en baissant le ton): Peux-tu être plus discret, s'il te plaît?
Alexis: Je vais essayer.
Moi: *Anyways*, il n'y a rien de confirmé. Je dois d'abord m'assurer que mon père ne sera pas là.
Alexis: On aurait la maison juste à nous? *OH YES!*
Sa mère (en nous regardant à nouveau): Je ne sais pas ce que vous manigancez, mais ça me fait peur.
Moi: Rien de très grave, madame. Alexis et moi discutons d'un jeu vidéo.

Mon explication a semblé la satisfaire, puisqu'elle m'a souri avant de reprendre sa discussion avec son mari.

Moi (en faisant de gros yeux à Alexis): Sérieux, *man! Chille*-toi!
Alexis: OK. Donc on ferait ça quand?

Moi : Dans une dizaine de jours. Mais si ça marche, tu dois inviter des filles de ton école. Je l'ai promis à José.
Alexis : Pourquoi ? Il a enfin *flushé* l'antéchrist ?
Moi (en riant) : Maude et lui sont en *break*.
Alexis : Pff. C'est clair qu'ils auront repris d'ici le party.
Moi : Je sais. Mais invites-en quand même.
Alexis : OK. Et pour la musique, tu vas demander à Dom ?
Moi : Oui. C'est tellement pratique d'avoir un cousin DJ !

Quand nous sommes arrivés à l'aréna, nous avons tout de suite senti la tension qui régnait dans le vestiaire.

Moi (en me penchant vers Kevin) : Pourquoi plus personne ne parle ?
Kevin : Apparemment, quelqu'un nous a *stoolés*.
Moi : Qu'est-ce que tu veux dire ?
Kevin : Que le *coach* a appris que plusieurs d'entre nous n'avaient pas respecté le couvre-feu pendant le tournoi.

Moi (en sentant mon coeur s'emballer) : Tu me niaises ? Qui est allé lui raconter ça ?
Kevin : Je ne sais pas. Sûrement un joueur jaloux de ne pas avoir été invité au party.

Ron est entré dans le vestiaire à cet instant.

Ron : Je sentais bien que quelque chose clochait dimanche. Maintenant, je sais que c'est parce que certains d'entre vous ont cru bon sortir et faire des abus la veille de notre finale. J'aurai une bonne discussion avec chacune des personnes concernées pendant la pratique. Pour l'instant, tout le monde sur la glace.

J'ai avalé péniblement ma salive. J'avais vraiment agi comme un imbécile en me laissant convaincre de me joindre à la fête. Si j'étais sagement resté dans ma chambre d'hôtel au lieu de suivre mes coéquipiers, je n'aurais jamais rencontré Julianne et je ne risquerais pas de me faire suspendre de l'équipe.

Johnny, l'assistant-*coach*, nous a fait travailler le repli défensif pendant plus de trente minutes. J'étais justement en train de reprendre mon souffle quand Ron m'a demandé de le suivre.

Moi (en m'installant près de la bande et en jouant l'innocent) : Qu'est-ce qui se passe, *coach* ?
Ron : Me prends-tu vraiment pour un cave ?
Moi : Non.
Ron : Alors ? Le party en valait la peine ?
Moi : Non.
Ron : Et la fille ?

Je l'ai regardé d'un air perplexe.

Moi : Je... De quoi tu parles ?
Ron : Tout le monde t'a vu avec la soeur d'un joueur de Québec.
Moi : Euh. Il ne s'est rien passé, *coach*.
Ron : Tant pis pour toi.
Moi : Je suis sincèrement désolé, *coach*.
Ron : As-tu une solution concrète à me proposer ?

Moi : Je te présente mes excuses en te promettant de ne jamais refaire une connerie pareille, puis on passe l'éponge ?
Ron : Ce serait trop facile. Tu ne joueras pas samedi.

J'ai poussé un grognement de frustration. Patrick et ma mère étaient censés assister à ce match, et si mon entraîneur m'interdisait d'enfiler mes patins, je serais forcé de leur avouer la vérité, ce qui me mériterait très certainement une interdiction de sortie jusqu'à ma majorité.

Moi : S'il te plaît, *coach*, ne me fais pas ça. Je suis prêt à laver les douches avec une éponge s'il le faut, mais laisse-moi jouer samedi.

Il m'a regardé d'un drôle d'air, puis il a finalement hoché la tête.

Ron : *Deal.* Mais je veux que ce soit *Spic and Span* et qu'il ne reste même plus un seul poil de couille par terre.

J'ai grimacé, dégoûté par son image.

Après l'entraînement, Ron et Johnny ont déposé un grand seau d'eau savonneuse et une éponge devant moi. Les autres joueurs ont évidemment éclaté de rire.

J'ai fait mon travail en retenant ma respiration et en me traitant mille fois de gros jambon. Quand j'ai eu fini, il ne restait plus un chat dans le vestiaire. Je n'avais personne pour me reconduire chez moi et j'habite à plus de trois kilomètres de l'aréna. J'ai soupiré et j'ai marché jusqu'à une cabine téléphonique en grelotant. Comme je n'avais pas d'argent, j'ai appelé ma soeur à frais virés.

Manu (en répondant): Coudonc, es-tu en prison?
Moi: Presque. Peux-tu venir me chercher à l'aréna, s'il te plaît?
Manu (en soupirant): Je regarde un film avec Julien. Pourquoi tu ne demandes pas à Alexis

ou à un autre gars de l'équipe de te déposer en passant?

Moi: Parce qu'ils sont tous partis.

Manu: Pourquoi?

Moi: Parce que j'ai terminé plus tard que les autres.

Manu: Pourquoi?

Moi: Coudonc, tu es aussi gossante que Camille et Juliette avec tes questions!

Manu: OK. Arrange-toi avec tes troubles. Ba-bye!

Moi: Manu, attends! Ne raccroche pas! Je vais te raconter ce qui s'est passé.

Manu: Je t'écoute.

Moi: Comme le *coach* a appris que je n'avais pas respecté le couvre-feu pendant le tournoi en Beauce, j'ai dû laver les douches pour qu'il me laisse jouer samedi.

Manu: Ouach! Réalises-tu que tu as touché à des milliers de microbes et de morpions?

Moi: Pas besoin d'en rajouter, Manu. L'expérience m'a déjà assez traumatisé comme ça. Peux-tu venir me chercher, s'il te plaît?

Manu : Pourquoi ne demandes-tu pas à papa ?
Il est dans un 5 à 7, mais il pourrait te ramasser
en revenant.
Moi : *Come on,* Manu. Ça ne me tente pas de
rusher papa ni de lui mentir, et Brigitte doit
coucher Léo. À moins que tu ne préfères t'en
occuper ?
Manu : OK, *fine*. On va venir.
Moi : Merci.
Manu : À une condition.
Moi : Tu me niaises ?
Manu : Non.
Moi : Qu'est-ce que tu veux, encore ? Arracher
une parcelle de mon cervelet pour l'analyser
dans ton cours ? Me disséquer comme une
grenouille ? M'habiller en rose et me faire
réciter des poèmes à l'école ?
Manu (en baissant le ton pour éviter que
son *chum* entende) : Je veux que tu te joignes
à nous samedi pour regarder le match.
Comme ça, tu pourras me chuchoter des
commentaires intelligents.

Moi : Pourquoi n'expliques-tu pas plutôt à ton *chum* que malgré tous tes beaux efforts, tu n'arrives pas à aimer le hockey ?

Manu : Julien se tape les reprises de *Gilmore Girls* et de *Sex and the City* avec moi. Il se force même à regarder *Le Bachelor* et *La Voix*. Il m'accompagne quand j'ai besoin de magasiner et il m'aide à choisir mes tenues quand je suis indécise. Bref, c'est la moindre des choses que je puisse faire que d'encourager ses Fabs.

Moi : On dit les « Habs ».

Silence.

Moi : OK, c'est bon. Je t'aiderai à lui faire croire que tu es maintenant une grande passionnée des Canadiens. Peux-tu venir me chercher, maintenant ?

Manu : J'arrive dans dix minutes.

Julien et Manu ont évidemment pris un malin plaisir à se moquer de moi dans la voiture et à nommer toutes les bactéries que j'avais pu contracter en frottant le vestiaire. Quand je suis finalement rentré à la maison, j'ai sauté sous la douche et je me suis astiqué le corps pendant près de trente minutes pour m'assurer d'enlever toute trace de pilosité indésirée.

Avec tout ça, je suis complètement épuisé. Je vais aller me coucher, en espérant ne pas me réveiller avec un troisième oeil.

A.

J'ai plusieurs bonnes nouvelles à annoncer. La première, c'est que je ne me suis pas transformé en mutant à la suite de mon torchage de douches. La deuxième, c'est que mon approche plus directe avec Léa semble fonctionner. La troisième, c'est que Julianne n'a toujours pas publié mes mémoires sur Facebook. La quatrième, c'est que j'organise officiellement un party samedi soir chez mon père, et la dernière, c'est que notre équipe a retrouvé le chemin de la victoire.

Allons-y par étape et commençons par Léa Olivier. Vendredi midi, j'ai décidé de poursuivre sur ma lancée quand je l'ai croisée près du local du journal.

Léa (en fonçant directement dans ma poitrine) : Oups !
Moi : Tu ne t'es pas fait mal, j'espère ?

Léa (en ramassant ses livres qui étaient tombés par terre) : Une blessure d'orgueil, est-ce que ça compte ?

Moi : Ouais, et ça prend plus de temps à guérir.

Léa : Je sais.

Moi : Est-ce que c'est ma beauté qui t'étourdit à ce point ?

Léa (en souriant) : Malheureusement, non. Le problème, c'est que je ne regarde jamais où je vais. Il va falloir que je corrige ça, sinon, je risque de me ramasser sur les genoux d'une des nunuches.

J'ai ri.

Moi : Alors, tu travailles sur quoi, en ce moment ?

Léa : Un article ultra secret.

Moi : *Come on!* Je ne dirai rien !

Léa (pince-sans-rire) : Je parle des gars qui sont prêts à utiliser des méthodes farfelues pour *cruiser*, comme faire semblant d'être distrait pour qu'une fille se ramasse dans leurs bras.

J'ai éclaté de rire.

Moi : Dans ce cas-là, j'ai pas mal de matériel pour toi.
Léa : Je t'écoute.
Moi (en réfléchissant) : Hum, il y a évidemment le truc du tutorat.
Léa (amusée) : C'est quoi, ça ?
Moi : Laisse-moi te faire une petite mise en scène.

J'ai toussoté, puis je me suis avancé vers elle avec un air sérieux.

Moi : Léa, tu es bonne en français, non ?
Léa : Meilleure qu'en anglais, en tout cas. Pourquoi ?
Moi : J'ai vraiment poché mon dernier exam, alors je me disais que tu pourrais peut-être me donner un coup de main pour m'améliorer. Samedi soir, ça t'irait ?

Léa m'a regardé d'un air faussement impressionné.

Léa: Wow! En as-tu d'autres comme ça?
Moi (en plissant les yeux): Plein, mais je ne veux pas que tu me perçoives comme un gros macho.
Léa: Non. Juste un charmeur compulsif.
Moi: Ce n'est pas une façon élégante de me traiter de *player*, ça?
Léa (en riant): Tu peux interpréter ça comme tu veux!

On a éclaté de rire. Je m'apprêtais à l'inviter à dîner lorsque Éloi est sorti de nulle part.

Éloi: Salut, vous deux!
Moi: Eille! Tu n'es pas avec ta blonde?

Léa a détourné le regard pour cacher son agacement.

Éloi: Non. Elle mange avec ses amies et j'ai une réunion avec l'équipe du journal pour le prochain numéro.
Moi: En tout cas, je peux te dire que l'article de Léa sera un grand succès.

Éloi : Pourquoi ?

Moi : Parce que son sujet est très original et que son cobaye est extrêmement charmant.

Léa : Et surtout très humble.

Éloi (confus) : Hein ? Je pensais que Léa collaborait avec Annie-Claude pour l'écriture du papier sur les choix d'orientation au cégep. Est-ce que j'en ai perdu un bout ?

Léa (en riant) : Non. Alex faisait juste une blague.

Moi : Une *inside joke*.

Léa : Ne parle pas en anglais, je ne comprends rien !

Moi (en lui faisant un clin d'oeil) : Ce n'est pas un problème. Je peux faire du tutorat !

Léa a éclaté de rire tandis qu'Éloi fronçait les sourcils. Je pouvais sentir que la complicité grandissante entre Léa et moi l'énervait un peu. J'avais donc eu tort de croire que sa relation avec Marianne l'avait complètement écarté de l'équation.

Léa: Sur ce, je vais rejoindre l'équipe. J'ai l'impression qu'Éric ne sera pas content si la petite dernière arrive en retard. *Ciao*, Alex!
Moi: *Ciao!* Et ne te gêne surtout pas si tu as besoin de plus de matériel.

Elle m'a souri avant de gagner le local, suivie de près par Éloi. J'ai quant à moi rejoint José dans la cafétéria.

Moi (en m'assoyant près de lui): Tu vas être fier de moi, *man*. J'ai décidé de renforcer mon offensive avec Léa.
José (en me regardant d'un drôle d'air): Hum. Es-tu sûr que ce soit une bonne idée?
Moi: Tu me niaises, là? C'est toi-même qui m'as encouragé à être plus agressif avec elle.
José: Je sais, mais c'était avant que Maude me convainque qu'elle était conne.

J'ai figé.

Moi: Maude?

José (en hochant la tête) : Hum, hum.
Moi : Ménard-Bérubé ?
José : Qui d'autre ?
Moi : Genre ton ex à qui tu n'adresses plus la parole ?
José : Les choses ont changé.
Moi : Depuis quand ?
José : Elle m'a téléphoné hier soir et on a parlé pendant deux heures. Elle s'est expliquée et elle m'a fait réaliser qu'on était heureux ensemble. Je sais qu'elle est intense, mais je l'aime.

J'ai roulé les yeux. C'est toujours comme ça avec eux. Un jour, c'est le cataclysme national, et le suivant, c'est le paradis sur terre.

Moi : Ça veut dire que tu n'as plus besoin que j'organise de party ?
José (les yeux exorbités) : *Claro que si !* Ce n'est pas parce que je suis en couple que je suis devenu aveugle ! Et je pense que ça te sera profitable d'être entouré de sang frais.
Moi : Ça veut dire quoi, ça ?

José (en haussant les épaules): Que tu peux faire mieux que Léa Olivier.

Moi: *Dude,* je ne vais pas baser mon opinion sur la jalousie excessive de ta blonde. Je sais qu'elle ne porte pas Léa dans son coeur, mais c'est complètement injustifié.

José (en haussant les épaules): Fais comme tu veux, mais n'annule surtout pas la *fiesta.*

Moi: À une condition.

José: Laquelle?

Moi: Comme mon père rentre tôt dimanche, j'aurai besoin d'aide pour tout nettoyer.

José: Tu peux toujours compter sur moi.

Moi: Pff! La dernière fois que tu m'as promis de me donner un coup de main, tu as quitté prématurément mon party avec Maude!

José: C'était une urgence, *man.* Elle commençait à avoir des soupçons à propos de Kath et il fallait que je la rassure.

Moi: Et qu'est-ce qui m'assure que cette fois-ci, tu n'auras pas une nouvelle crise à gérer?

José (en me regardant d'un air solennel et en posant une main sur son coeur): Je te donne ma parole.

Moi : Ta parole n'est pas fiable.

José : Alors je vais te proposer un marché. Si jamais je *choke,* tu pourras me le faire payer en me faisant laver les douches de l'école.

Il faisait évidemment allusion à ma mésaventure de la semaine dernière. J'ai souri en lui faisant un doigt d'honneur.

Après l'école, je suis rentré chez moi et j'ai réalisé que Julianne m'avait envoyé un message.

Salut, gentleman de Saint-Georges de Beauce,
Si je comprends bien, tu me laisses faire les premiers pas, même après m'avoir pratiquement abandonnée dans un couloir d'hôtel ? Heureusement que tu es cute. Ça compense ta cruauté.

J. xox

J'étais plutôt surpris qu'elle ne fasse aucune mention de ce qu'elle avait fait. J'ai hésité,

mais j'ai finalement décidé de mettre cartes
sur table pour en avoir le coeur net.

Bonjour, pauvre fleur éplorée,
Est-ce ma cruauté qui t'a poussée à fouiller dans
mes affaires et à me laisser une petite note sans
y ajouter tes coordonnées ? Si oui, c'était bien
mérité ! 😊

A. xx

Sa réponse est apparue quelques secondes
plus tard.

Cher Alex,
Ouais, je voulais te faire souffrir un peu. Et me
laisser désirer. Mais là, l'attente a assez duré. 😊

J.

Chère Julianne,
Je te remercie de mettre fin à mon supplice
et d'être assez indulgente pour me contacter.

*Je pense que tu pourrais me donner une bonne
leçon de maturité !*

A. xx

*Cher Alex,
Je suis dispo quand tu veux pour te transmettre
un peu de sagesse ! Blague à part, j'espère que le
retour s'est bien passé et que tu as digéré votre
défaite crève-coeur en finale. Je dois filer, car mes
parents m'attendent, mais j'espère qu'on aura la
chance de poursuivre cette discussion plus tard !*

J. xox

J'ai froncé les sourcils. Le fait qu'elle ne
fasse aucun commentaire à propos de toi me
permettait de croire qu'elle n'avait pas eu le
temps de te lire. Après tout, je n'avais disparu
de son champ de vision que pendant quelques
minutes. Peut-être t'avait-elle simplement
feuilleté pour trouver une page vierge ?

Cette lueur d'espoir m'a permis de dormir sur mes deux oreilles et de disputer un match du tonnerre hier devant ma mère, mon beau-père et mes soeurs. Je crois que tous les joueurs de l'équipe avaient envie de prouver à Ron qu'ils étaient capables de jouer avec coeur, et c'est ainsi que nous avons remporté le match 4 à 0.

Après m'être douché, j'ai rejoint ma famille à la sortie des vestiaires. Camille et Juliette ont couru jusqu'à moi et m'ont sauté dans les bras.

Moi : Alors, les filles, avez-vous aimé la partie ?
Juliette : Oui ! J'ai mangé deux pogos.
Camille : Et moi, une frite sauce et deux hot-dogs.
Juliette : Et Camille a vomi sur le manteau de fourrure d'une madame !

J'ai grimacé et Patrick a pris Camille dans ses bras.

Patrick : Laissez votre frère respirer un peu au lieu de lui parler de vos exploits alimentaires.

Manu (en grimaçant) : Et de vos déboires gastriques.

Ma mère (en me serrant dans ses bras) : Le petit incident de Camille nous a fait rater le troisième but, mais j'ai suivi le reste de la partie et je vous ai trouvés épatants, chéri. Bravo pour cette belle victoire.

Moi (en souriant) : Merci !

Ma mère : Veux-tu qu'on aille manger quelque part pour fêter ça ?

Moi : Non, merci. J'avoue que l'histoire de Camille m'a un peu coupé l'appétit. Sans compter que je suis épuisé. J'ai juste envie de rentrer et de m'écraser seul devant mon ordi.

Manu (en me donnant un coup de coude) : Ton moment de solitude va devoir attendre, princesse !

Moi (en me frottant les côtes) : Aïe ! Pourquoi ?

Manu : Parce que je t'ai sorti du trouble cette semaine et que tu m'as promis de me rendre un petit service en échange.

Moi : Je sais, mais je préfère qu'on se reprenne. J'ai vraiment envie de regarder la partie en *boxer* avec un sac de chips. Et je ne crois pas

que ton *chum* triperait de me voir en petite
tenue dans mon lit.
Manu (du tac au tac): Au contraire. Il serait
même partant pour te faire la cuillère.
Moi (en grimaçant): Je vais passer mon tour. Il
n'est pas mon genre.
Manu: Pas question que tu te défiles, Alex.
Sinon, je dis tout aux parents.

J'ai hoché la tête à contrecoeur et j'ai déposé
mon sac de hockey dans le coffre de notre
immense camionnette familiale. Ma mère a
ensuite commandé une pizza. Comme la sortie
à l'aréna a réussi à endormir les jumelles,
Patrick et ma mère ont profité de ce rare
moment de plénitude pour la manger dans
leur chambre en regardant un film, tandis que
Julien, Manu et moi nous installions dans le
salon pour regarder la partie.

Ma soeur (en applaudissant): Oh! J'adore ce
moment!
Moi (en la dévisageant): L'hymne national
américain?

Ma soeur: Et le nôtre. Ça me donne toujours la chair de poule.

Le match a commencé et Manu s'est mise à jouer à la commentatrice.

Manu: Mauvaise passe! Quel abruti! Il a créé un gros virage!
Moi (en chuchotant): On dit «revirement».
Manu: Ouais, c'est ça. Un gros virement. Comme à la banque. Et regarde ce que ç'a donné: le numéro 18 est parti en solo!
Moi (en me penchant vers elle): On dit «en échappée». Et comme le 18 fait partie de notre équipe, c'est une bonne chose.

Manu s'est mordu la lèvre et Julien a retenu un rire.

Une bagarre a alors éclaté sur la glace.

Moi: Allez! Défends-toi, innocent!
Julien: Sérieux, il se fait déchirer!

Manu (en se levant d'un bond et en détournant les yeux) : Je n'aime pas la brutalité gratuite. Vous me le direz quand ce sera fini.

Julien : Ça fait partie de la *game*, mon amour.

Manu (rouge de colère) : C'est complètement débile de promouvoir la violence dans un sport.

Moi : Une chance qu'on ne regarde pas un match de boxe.

Julien : Ou de lutte sportive.

Julien et moi avons éclaté de rire.

Manu (en fronçant les sourcils) : Êtes-vous en train de rire de moi ?

Julien : Non. On rit *avec* toi.

Elle s'est rassise, l'air renfrogné.

Manu : Et pourquoi ont-ils toujours besoin de se frapper contre la bande pour reprendre la rondelle ?

Moi : Parce que le but du jeu consiste justement à prendre possession de la *puck* et à compter des buts.

Manu : Ils pourraient faire ça sans se casser des dents ! Regardez le numéro 26 ! Il est complètement édenté !

Julien : Ouais, mais comme il gagne environ 5 millions par année, je suis sûr qu'il arrivera à se trouver un bon dentiste. Je vais aller chercher plus de *chips*.

J'ai profité de l'absence de Julien pour intervenir auprès de ma soeur.

Moi (en chuchotant) : Respire par le nez, Manu.

Manu : Pourquoi ? Vous êtes fans et vous hurlez tout le temps.

Moi : On crie pour encourager les joueurs. Pas pour critiquer chaque élément du jeu.

Manu : Mais ils sont tous défigurés !

Moi : Si tu étais une vraie fan de hockey, tu trouverais ça sexy.

Elle a poussé un soupir.

Manu : OK. Tu as raison. Je vais essayer d'être plus positive.

Sa résolution a tenu dix minutes. En plein milieu de la deuxième période, l'un de nos joueurs a été atteint volontairement au visage par un bâton de l'équipe adverse et s'est aussitôt écroulé sur le sol.

Manu (en hurlant) : *OH MY GOD !* Il y a du sang partout sur la glace !

Julien et moi avons échangé un regard amusé.

Manu (en courant vers la télé pour nous pointer le sang avec son doigt) : Regardez ! Le gars saigne ! Ça n'a pas de sens ! Il faut que l'autre soit renvoyé !
Moi : On dit puni.
Manu : QUOI ? C'est tout ? Ils vont le mettre en réflexion sur le petit banc comme quand Camille jette de la nourriture par terre ? Mais c'est aberrant ! On parle d'un adulte qui a

volontairement blessé violemment un autre joueur. Il devrait être banni de la ligue.

Julien (en haussant les épaules) : Comme il l'a fait saigner, il écope de cinq minutes. Ce n'est quand même pas pire.

J'ai senti les fils se toucher dans le cerveau de ma soeur.

Elle s'est alors emparée de la télécommande et elle a éteint la télé. Julien et moi avons évidemment réagi en rouspétant.

Moi : Qu'est-ce que tu fais ?
Manu : J'en ai assez vu.
Moi : Mais il reste une période !
Manu : Et il faut s'attendre à quoi, comme action ? Un défenseur qui se fait amputer pour défendre son territoire ? Un gardien qui se fait décapiter par une rondelle ?
Julien (en haussant les épaules) : Des fois, ils perdent connaissance. Mais c'est pas mal le pire qui peut arriver.

Moi : C'est sûr que les lésions aux genoux et
au dos peuvent être cruelles parce qu'elles
ruinent des saisons entières.
Julien : Ouais. Il y a aussi les « blessures au bas
du corps » qui ne doivent pas être plaisantes.
Manu : Et ça ne vous choque pas de voir autant
d'hommes souffrir ?
Moi : Pas vraiment. Ils sont payés pour ça.
Julien : Surpayés, tu veux dire.
Manu : Eh bien, moi, ça m'horripile.
Moi (en lui faisant de gros yeux et en baissant
le ton) : Manu, ce n'est pas avec une attitude
comme ça que tu vas convaincre ton *chum*
que...
Manu (en tendant le poing) : Je m'en fous de ce
que Julien pense de moi.

Ce dernier l'a regardée d'un air perplexe.

Manu (en s'assoyant près de lui) : J'ai demandé
à Alex de m'expliquer un peu mieux les règles
du jeu, et même de me souffler des trucs
intelligents à dire pendant les matchs.
Julien (surpris) : Pourquoi ?

Manu : Parce que je voulais que tu penses que j'étais aussi cool que la blonde de Jean-David, qui vous accompagne toujours dans les bars sportifs et qui s'intéresse aux statistiques des gros édentés, mais je ne suis pas capable de faire semblant. Ça me dégoûte de les voir se maltraiter comme ça, et je ne veux pas jouer de jeu avec toi. Je veux que tu m'aimes malgré mon dédain pour ton sport préféré.

Julien a souri avant de l'attirer vers lui.

Julien : Manu, je m'en fous si tu n'aimes pas le hockey. Je trouve ça adorable que tu fasses autant d'efforts pour moi, mais je t'aime telle que tu es. Avec ou sans passion pour les édentés.

Manu (en baissant les yeux) : Ouais, mais toi, tu m'accompagnes au centre-ville ou au Ikea sans ronchonner. Tu regardes mes émissions quétaines parce que tu sais que j'aime ça. Et tu te forces même à manger du tofu pour me faire plaisir.

Moi (en dévisageant Julien) : Sérieux ?

Julien (en haussant les épaules) : Ça ne me dérange pas de faire tout ça.

Manu : Pourquoi ?

Julien : Parce que ça me permet de passer plus de temps avec toi.

Manu l'a regardé langoureusement avant de l'embrasser passionnément.

Moi (en détournant le regard) : Euh, ce n'est pas que je ne m'amuse pas, mais est-ce que je peux rallumer la télé et regarder la fin du match ?

Manu (en souriant) : Vas-y ! Je veux voir comment ça finit !

Julien : Mais tu viens de m'avouer que tu haïssais le hockey !

Manu (en haussant les épaules) : Je préfère le regarder avec toi plutôt que de le détester toute seule.

Julien a réagi en l'embrassant à son tour.

Moi : Vous êtes tellement quétaines !

Julien (en me lançant une croustille) : Jaloux !

Moi : Pff ! Tellement pas !

J'ai toussoté pour cacher ma gêne. La vérité, c'est qu'il avait un peu raison. Je trouvais ça cool qu'ils s'aiment au point de faire des choses qu'ils maudissaient pour rendre l'autre heureux. Je n'oserais jamais l'avouer à ma soeur, mais c'est la première fois que quelqu'un me donne réellement envie de tomber amoureux.

Sur ce, je vais te laisser. J'ai des devoirs à terminer et deux demi-soeurs turbulentes à calmer.

A.

Mercredi 18 novembre

19h14

Julianne (en ligne): Est-ce un mirage? Est-ce que mon prince charmant montréalais est enfin apparu en ligne?

19h15

Alex (en ligne): Yep! En chair et en doigts!

19h15

Julianne (en ligne): Je ne te dérange pas, j'espère?

19h16

Alex (en ligne): Oui, mais ça m'arrange. Je dois terminer une composition en français et je n'ai aucune inspiration.

19h16

Julianne (en ligne): Pourquoi ne parles-tu pas de ta rencontre fortuite avec une jeune fille extraordinaire dans une région éloignée?

19h16

Alex (en ligne): Pas fou! Je pourrais écrire à propos de son magnétisme envoûtant et de son penchant pour les valises d'inconnus! Le seul hic, c'est que je ne connais toujours pas la suite de l'histoire...

19h17

Julianne (en ligne): La fille en question pourrait aller à Montréal une fin de semaine pour visiter son oncle et ses cousins et en profiter pour te saluer?

19h17

Alex (en ligne): Hum. C'est vrai que ça s'annonce plutôt prometteur comme dénouement. Moi qui espérais justement te revoir!

19h18

Julianne (en ligne): Je suis contente d'entendre ça. Je croyais que tu m'avais oubliée!

19h18

Alex (en ligne): Impossible d'effacer notre baiser de ma mémoire.

19h19

Julianne (en ligne): Peut-être que si tu es gentil, nous pourrions recommencer quand je serai de passage dans la métropole.

19h19

Alex (en ligne): Je te promets d'être sage. Quand arrives-tu?

19h20

Julianne (en ligne): Dimanche. J'ai congé lundi et je veux en profiter pour visiter deux cégeps. Je repars mardi.

19h20

Alex (en ligne): Je peux aller te chercher au terminus d'autobus, si tu veux.

19h21

Julianne (en ligne): C'est gentil de le proposer, mais mes parents me prêtent la voiture.

19h21

Alex (en ligne): Je savais que j'avais affaire à une finissante, mais j'ignorais qu'elle avait aussi son permis de conduire.

19h22

Julianne (en ligne): Ouais. Depuis juillet.

19h22

Alex (en ligne): Est-ce que ça veut dire que tu pourras me conduire partout?

19h22

Julianne (en ligne): Seulement si tu paies le gaz.

19h23

Alex (en ligne): Merde. Je n'ai pas un sou!

19h23

Julianne (en ligne): Alors tu devras compenser en nature.

19h23

Alex (en ligne): Hé! Hé! Hé! Es-tu libre dimanche?

19h23

Julianne (en ligne): Oui. 21 h devant le dépanneur du métro Mont-Royal?

19h24

Alex (en ligne): N'oublie pas que je suis un jeunot et que, contrairement à toi, j'ai de l'école lundi. Est-ce qu'on peut s'y rejoindre à une heure plus respectable aux yeux de mon père?

19h24

Julianne (en ligne): 17 h ?

19h25

Alex (en ligne): Parfait.

19h25

Julianne (en ligne): Super. Ça nous donnera le temps de jaser. Tu m'intrigues et j'ai pas mal de questions à te poser.

19h26

Alex (en ligne): Comme?

19h26

Julianne (en ligne): Tu verras! 😌 À dimanche! xox

Julianne s'est déconnectée

Dimanche 22 novembre, 2 h 31

Je sais que ça fait presque une semaine que je ne t'ai pas écrit et que ça ne respecte pas la promesse que j'ai faite à ma soeur, mais j'ai été enseveli sous les travaux scolaires en plus d'avoir deux entraînements et un match de hockey. De plus, je me suis dit qu'il serait préférable d'investir mon temps et mon énergie dans le développement de relations interpersonnelles si je voulais offrir des résultats concluants à Manu. Et j'ai le plaisir d'annoncer que mes efforts ont porté leurs fruits.

Tout a commencé il y a quelques heures lors du party organisé chez mon père. Dom, José et Alexis sont arrivés chez moi vers 17 h, avec du ravitaillement. Mon cousin s'est installé derrière sa petite console et les premiers invités ont fait leur apparition autour de 20 h.

J'étais en train de discuter avec Lydia quand Léa est descendue au sous-sol. C'est la première fois que je la voyais avec du maquillage.

Moi : Tu es vraiment en beauté, ce soir, Miss Léa.

Léa (en rougissant) : Ça fait partie de tes techniques de *cruise* de complimenter les filles ?

Moi (en souriant) : Non. C'est juste une règle de savoir-vivre inculquée par ma mère.

Léa : Elle a fait un bon travail. Est-ce que je peux aller la féliciter ?

Moi : Impossible. On est chez mon père, ici, et il est en voyage.

Léa (mal à l'aise) : Désolée, je ne savais pas que tes parents étaient séparés.

Moi : C'est correct. Ça fait longtemps.

Léa : Et la grande brune que j'ai croisée en entrant, c'est ta soeur ?

Moi : Ouais. Elle s'appelle Emmanuelle. Mais elle est partie rejoindre son *chum*, car elle est allergique à mes partys.

Léa : Euh, ça m'inquiète un peu, ça !

Moi : Ne t'en fais pas. Je veillerai sur toi !

Elle m'a souri avant d'aller se servir à boire. Éloi est arrivé seul quelques minutes plus tard.

Éloi (en me tendant la main) : Cool party, Alex!
Moi : Merci. Je suis content que tu sois venu. Marianne n'est pas avec toi?
Éloi (en perdant son sourire) : Non. Je crois qu'elle arrivera avec Maude.
Moi (en pointant Maude et José du doigt) : Comme notre couple national se *frenche* déjà depuis une bonne demi-heure, j'en doute.
Éloi (en peu blasé) : J'ai dû mal comprendre ses explications, alors.
Moi (en haussant un sourcil) : Euh, tout va bien entre vous?
Éloi (en chuchotant) : Elle est un peu contrôlante et je t'avoue que ça m'étouffe. Sans compter qu'on n'a pratiquement rien en commun.

J'ai vu son regard s'illuminer en apercevant Léa.

Moi : Je suis sûr qu'elle agit seulement comme ça parce qu'elle tient à toi.

Éloi : Ce n'est pas en me faisant des crises qu'elle va aider sa cause.
Moi : Tu devrais lui en parler. Ça lui permettrait peut-être de changer son attitude.

J'avais beau m'efforcer d'être encourageant, je savais bien qu'Éloi et Marianne étaient loin de former un couple très solide. La vérité, c'est que je voulais m'assurer qu'Éloi se tienne loin de Léa. Je me sentais poche d'agir comme ça, mais j'avais envie de me rapprocher d'elle sans l'avoir dans les pattes.

Éloi (en pointant Marianne, qui était en train de saluer Sophie et Lydia) : Parlant du loup !

Elle lui a fait un signe de la main et il est allé la rejoindre. J'en ai évidemment profité pour poursuivre mon offensive.

Moi (en me postant devant Léa) : Alors, tout se passe bien ?
Léa : Ouais. Ton ami Alexis est crampant. Et Annie-Claude et Jeanne sont là pour me tenir

compagnie et m'aider à éviter les regards
condescendants de Maude et de Marianne.
Moi: Laisse-les faire. Elles sont juste jalouses.
Léa: De quoi? Ma petitesse et ma rejetitude?
Moi: Non. Ton sourire et ton assurance.

J'ai alors fait un petit signe à Dom, qui a
aussitôt fait jouer un *slow*.

Moi (en lui tendant la main): Veux-tu danser?
Léa (en souriant): Avec plaisir.

Elle s'est collée contre moi et j'ai senti son
coeur accélérer. Le problème, c'est que je
n'étais pas certain si c'était Éloi, son ex ou moi
qui le faisait bondir de cette façon. Après la
chanson, j'ai donc décidé d'en avoir le coeur
net en lui demandant de l'aide dans la cuisine.

Moi: Si je redescends avec les mains pleines,
ça risque de mal se terminer.
Léa (en montant les marches derrière moi):
Pas de trouble. J'aime ça me sentir utile!

Une fois arrivée en haut, Léa a trébuché sur mon pied et s'est retrouvée directement dans mes bras.

Moi (en collant mon front contre le sien):
Désolé. J'aurais dû allumer la lumière.
Léa (en souriant dans la pénombre): Pff. Je parie que tu avais prévu le coup.
Moi: Je te jure que non. Mais ça ne veut pas dire que je suis assez con pour laisser filer ma chance.

J'ai posé mes lèvres sur les siennes et elle a répondu à mon baiser. Ma poitrine s'est resserrée. C'est la première fois que je ressentais quelque chose d'aussi intense en embrassant une fille. Léa a finalement mis un terme au baiser en me repoussant doucement.

Moi (un peu surpris): Qu'est-ce qui se passe? Tu n'aimes pas ça?
Léa (en souriant): Oui! Ce n'est pas ça, le problème. C'est juste que c'est encore

frais avec mon ex et que ça me fait bizarre d'embrasser quelqu'un d'autre.

Moi (en la réconfortant) : On peut y aller plus doucement, si tu veux.

Léa : Ouais. Je pense que j'ai besoin d'un peu de temps.

Moi (en cachant ma déception) : Pas de problème.

J'ai allumé la lumière et j'en ai profité pour reprendre mes esprits. Un côté de moi se sentait léger et heureux de l'avoir embrassée, mais un autre était légèrement blessé par sa réticence. Nous sommes redescendus et elle est aussitôt allée s'asseoir auprès d'Éloi. J'ai fait semblant de m'en moquer en rigolant avec les autres, mais la vérité, c'est que ça m'énervait de sentir qu'elle m'échappait.

Je sais qu'elle a eu le coeur brisé et je respecte le fait qu'elle veuille prendre son temps, mais je crois sincèrement que ce n'est pas le gars de la campagne qui l'empêche de craquer pour moi.

Lorsque les derniers invités sont partis, José m'a donné un coup de main pour nettoyer le sous-sol, puis il est rentré chez lui. J'étais en train de passer le balai lorsque ma soeur est descendue me rejoindre.

Moi: Je ne m'attendais pas à te revoir.
Manu: Julien est avec moi. Je profite de l'absence de papa pour l'inviter à dormir.
Moi: Qu'est-ce que tu fais au sous-sol, alors?
Manu: Je voulais m'assurer que rien n'avait été cassé ni brûlé.
Moi: Ne t'en fais pas: tout est propre.
Manu: Ça va? Tu as l'air bizarre.
Moi (en feignant l'innocence): Je vais super bien.

Manu m'a dévisagé avant de me tirer par le bras vers le sofa.

Moi (en résistant un peu): J'ai encore de la vaisselle à ramasser.
Manu: Je t'aiderai à ranger après.
Moi: Après quoi?

Manu: Que tu m'auras raconté ce qui te chicote!
Moi: Je n'ai rien à dire.
Manu: Je te connais, Alex. Ça paraît que
quelque chose te tracasse. Et je vais continuer
à te gosser tant que tu n'auras pas craché le
morceau.

J'ai soupiré, puis je me suis installé à côté
d'elle pour lui résumer ma soirée.

Manu (en souriant): Ben là! Léa et toi vous
êtes embrassés! C'est génial!
Moi: Ouais, mais elle m'a repoussé, et ça ne
m'a pas fait sentir bien.
Manu: C'est une simple blessure d'orgueil.
Moi: Ce n'est pas *juste* ça.

Manu m'a dévisagé.

Manu: Elle te plaît vraiment, hein?
Moi: Pff! Pas tant que ça!
Manu: Oui. La preuve, c'est que je ne t'ai
jamais vu réagir comme ça pour une fille.
Moi: Je...

Je m'apprêtais à m'obstiner quand j'ai eu un déclic. C'était tout à mon avantage de lui laisser croire que j'étais sincèrement tombé sous le charme de Léa puisqu'elle le percevrait comme l'avancée émotive dont j'avais besoin pour me débarrasser de toi.

Moi : OK, je l'avoue. Elle me plaît. Je fais quoi, maintenant ?
Manu : Elle t'a demandé du temps, alors il faut que tu respectes son besoin tout en lui prouvant que tu es le gars parfait pour elle.
Moi : Et je fais ça comment ?
Manu : Tu lui donnes l'espace nécessaire pour qu'elle réalise qu'elle peut te faire confiance et qu'elle n'est pas une conquête parmi tant d'autres.
Moi : Est-ce que je peux quand même revoir Julianne ?

Ma soeur m'a regardé en secouant la tête.

Ma soeur : Tu me décourages, Alex !

Moi (sur la défensive): C'est toi qui m'as incité à la relancer avec tes grands discours sur la possibilité d'une relation profonde avec une fille qui a vu clair dans mon âme!

Ma soeur: Ça, c'était avant d'apprendre que tu éprouvais des sentiments pour une autre! Alex, promets-moi que tu ne vas pas chasser deux lièvres à la fois!

J'ai acquiescé en croisant les doigts derrière mon dos. La vérité, c'est que je n'ai pas envie de poser de lapin à Julianne, car j'ai besoin de découvrir si elle a lu mon journal et de sentir que je plais réellement à une fille.

Il est déjà tard, alors je vais me coucher.

A.

Chapitre 6 :
Pile ou face ?

Je pense que je suis malade. La preuve, c'est que j'avais hâte de te raconter tout ce qui m'est arrivé au cours des derniers jours. C'est sûrement parce qu'une partie de moi (celle qui a des gènes en commun avec ma soeur) s'imagine que le fait de me confier à toi m'aidera à y voir plus clair.

Tout a commencé dimanche après-midi lorsque j'ai rejoint Julianne au métro Mont-Royal. Comme j'étais encore troublé par ce qui s'était passé la veille avec Léa, je me suis rendu au rendez-vous comme un automate. Ce n'est que lorsque j'ai aperçu Julianne près des tourniquets que j'ai repris contact avec la réalité, et que je l'ai comparée mentalement à Léa.

Elle est plus grande, mais j'aime mieux les blondes. Un point pour Léa. Elle a plus d'assurance et de maturité. Un point pour Julianne. Elle sait ce qu'elle veut. Deux points

pour Julianne. Elle ne me fait pas le même effet
que Léa. Deux à deux.

Elle a alors claqué des doigts pour me ramener
sur terre.

Julianne : Allo ? Tu m'écoutes ?
Moi (en secouant la tête pour reprendre mes
esprits) : Oui. Excuse-moi. Je me suis couché
un peu tard hier et j'ai encore la tête dans la
brume.

Elle a pris ma main et m'a attiré vers elle pour
m'embrasser.

Elle (en se reculant doucement) : Est-ce que j'ai
ton attention, maintenant ?
Moi (en toussotant un peu) : Euh, je... oui.
Excellente tactique !

Elle m'a ensuite guidé dans les escaliers
roulants.

Moi : On va où ?

Elle : J'ai toujours aimé le petit marché de Noël près d'ici. Ça te tente ?

Moi : Pour une fille de Québec, tu connais presque la ville mieux que moi.

Elle : Je passe presque toujours le temps des fêtes à Montréal. Et comme tu le sais, il y a de fortes chances pour que je vienne y vivre l'an prochain. Est-ce que tu aimerais ça me voir plus souvent ?

J'ai acquiescé en souriant. J'avais un peu de difficulté à percevoir l'avenir dans huit mois, mais je me suis retenu de le lui dire.

Comme la soirée était plutôt douce, on en a profité pour se balader dans les rues du Plateau main dans la main. Ce n'est qu'une fois installé devant un chocolat chaud que j'ai osé aborder le sujet qui me brûlait les lèvres.

Moi : Alors, j'attends toujours ton fameux interrogatoire.

Elle a pris une gorgée en m'envoyant un regard inquisiteur.

Moi : Tu m'as écrit l'autre jour que tu avais pas mal de questions à me poser.
Julianne (en déposant sa tasse et en souriant) : Ouais. J'ai l'impression d'avoir monopolisé la conversation le soir qu'on s'est rencontrés, et j'ai réalisé que je ne connaissais pratiquement rien sur toi.

À moins que tu aies lu mon journal.

Moi : Qu'est-ce que tu veux savoir ?
Julianne : Quel âge a ta soeur ?
Moi (en plissant les yeux) : Hum, qui t'a dit que j'avais une soeur ?
Julianne : Toi. Le soir du party.

J'ai essayé de déceler une expression machiavélique sur son visage, mais rien ne m'indiquait qu'elle me mentait. Le hic, c'est que je ne me souvenais pas de lui avoir parlé de ma famille.

Moi : J'ai trois soeurs. Une plus grande et deux pas mal plus petites que ma mère a eues avec mon beau-père.

Julianne : Famille recomposée ? Je connais bien.

Moi : Pourtant, tes parents sont encore ensemble, non ?

Julianne (en souriant) : Contente de voir que tu m'écoutes quand je parle.

Moi : C'était un test ?

Julianne : Oui, et tu as passé haut la main.

Moi : Qu'est-ce que je gagne ?

Julianne : Une heure supplémentaire en ma compagnie.

J'ai souri et j'ai frappé ma tasse contre la sienne.

Moi : Et avec ton ex, comment ça se passe ?

Julianne : Euh, c'est moi qui pose les questions, monsieur Gravel-Côté.

Moi (en souriant) : J'ai plus de facilité à m'ouvrir quand l'autre le fait.

Julianne : Tu es pas mal ingénieux pour un gars de quinze ans.

Quatorze.

Elle a pris une profonde inspiration avant de poursuivre.

Julianne : J'essaie de l'éviter le plus possible. Mon ancienne meilleure amie aussi. Mais ce n'est pas facile parce qu'on fréquente une petite école et que tout le monde se connaît.
Moi : Est-ce qu'ils sortent ensemble ?
Julianne : Non. À moins qu'ils se voient en cachette. Ce qui ne serait pas si étonnant.
Moi : Ark. Ce ne doit pas être évident d'endurer une situation comme ça.
Julianne : En effet. Mais la bonne nouvelle, c'est qu'il ne me reste que quelques mois à devoir les côtoyer.
Moi : Tu es tellement chanceuse d'avoir ton diplôme cette année.
Julianne : Ça s'en vient pour toi aussi. Ne te décourage pas.

Je me suis mordu la lèvre. Je commençais à me sentir mal de lui mentir à propos de mon

âge, mais j'avais peur qu'elle déguerpisse
en apprenant que je n'en étais rendu qu'à la
moitié de mon secondaire.

En fait, je réalisais que même si Léa avait
monopolisé mes pensées au cours des
dernières heures, je me sentais plus à l'aise
quand j'étais en présence de Julianne. Ma
soeur me dirait sûrement que c'est parce
qu'elle habite loin, que je lui mens et qu'il n'y
a pas vraiment d'avenir entre nous, mais je
préfère taire sa petite voix intérieure.

Julianne : Mais pour en revenir à toi, j'ai comme
l'impression que tu caches un côté sensible.
Moi : Je serais un genre d'Oreo ? Dur à
l'extérieur, mais tendre au centre ?
Julianne (en riant) : Exact.
Moi (en prenant une gorgée) : Et qu'est-ce qui
te fait croire ça ?
Julianne (en haussant les épaules) : Tu as
de l'écoute et de l'empathie. Ce sont deux
qualités rares chez un gars.

Moi (en souriant): Je pense simplement que tu es tombée sur des abrutis.

Elle m'a souri d'un air triste.

Moi (en me mordant la lèvre): Est-ce que je peux te poser une question qui va peut-être te sembler un peu bizarre?
Julianne: Vas-y.
Moi: Est-ce que tu fouilles tout le temps dans les affaires des autres pendant qu'ils sont aux toilettes?

Julianne m'a regardé d'un air surpris avant de sourire.

Julianne: Je suis un peu indiscrète. Je m'excuse.
Moi: Une chance que je ne transportais pas de bombe.
Julianne: Ou une collection de papillons.
Moi: Ou de timbres. Là, je pense que tu serais partie en courant.
Julianne: Pour vrai, je suis désolée. Je voulais simplement t'écrire un petit message que

tu puisses lire après mon départ, mais je ne trouvais pas de papier dans votre bordel. C'est pour ça que j'ai fouillé rapidement dans ta valise, et que j'ai utilisé ton roman comme calepin.

J'étais soulagé. Elle semblait sincèrement croire qu'elle m'avait laissé une petite note dans un livre de fiction (qui n'était pas la mienne). Dossier classé. Je pouvais maintenant profiter de notre *date* sans me soucier de toi.

Moi : Je te pardonne. Même si mes *boxers* étaient un peu fripés le lendemain...

Julianne : Tu te soucies même de l'apparence de tes sous-vêtements ? Wow ! J'ai gagné le gros lot !

Je me suis frotté le torse.

Julianne : Je peux poursuivre avec mon questionnaire ?

Moi : Je suis prêt.

Julianne : As-tu déjà été amoureux ?

Moi : Oui. De Cara Delevingne.
Julianne : Niaiseux !
Moi : Quoi ? Ça compte !
Julianne : Pas dans mon livre à moi.
Moi : Alors non. Je ne crois pas.
Julianne : Pourquoi ?
Moi : Tu demanderas ça à ma grande soeur. Elle fait une étude en profondeur sur la question et elle pourrait y répondre mieux que moi.

Son regard s'est intensifié.

Julianne : Elle a raison d'être intriguée. Après tout, la plupart des gens vivent leur premier amour au cours du secondaire.
Moi (en lui souriant) : Il me reste encore du temps.
Julianne : Hum. C'est bon à savoir.

J'ai payé, puis on s'est dirigés tranquillement vers sa voiture.

Julianne : Est-ce que je peux te déposer quelque part ?

Moi : Chez mon père, si ça ne te dérange pas. Je dois me rendre chez ma mère ce soir, et je n'ai même pas encore fait ma valise.

Julianne (en s'installant derrière le volant) : Ça ne te fatigue pas de changer de maison à tout bout de champ ?

Moi (en haussant les épaules) : C'est comme ça depuis que je suis tout petit.

Julianne : Mais ça ne te simplifierait pas la vie de t'installer à long terme chez l'un d'eux ?

Moi : Peut-être, mais ce n'est pas aussi simple.

Julianne : Ça créerait de la chicane entre eux ?

Moi : Je pense surtout qu'aucun des deux ne pourrait vivre sans moi. Que veux-tu ? C'est ça, être un fils parfait !

Julianne a éclaté de rire. Je lui ai donné les indications pour se rendre jusqu'à chez moi, et lorsqu'elle s'est finalement garée devant chez mon père, je me suis penché vers elle pour l'embrasser, convaincu qu'un gars de quinze-ans-bientôt-seize agirait avec autant d'assurance.

Julianne (en souriant): On se revoit avant mon départ?

Moi: Demain, j'ai une pratique de hockey après l'école, alors ça va être difficile. À quelle heure tu repars mardi?

Julianne: 9 h max. J'ai obtenu une permission pour rater la matinée, mais je dois être à l'école en après-midi.

J'ai fait une moue triste.

Julianne: Si tu veux, je pourrais venir te chercher tôt le matin pour qu'on passe un peu de temps ensemble.

Moi: Je commence l'école à 8 h 30.

Julianne: As-tu un examen à la première période?

J'ai réfléchi.

Moi: Non. Juste un cours de maths.

Julianne: Je suis sûre que le prof survivra à ton absence. Même si tu es parfait.

Moi: Es-tu en train de m'inciter à sécher les cours?
Julianne (en jouant l'innocente): J'essaie juste de trouver une solution pour qu'on puisse se revoir.

Elle m'a embrassé à nouveau.

Moi: Tu as réussi. Je t'enverrai l'adresse de ma mère par Messenger.
Julianne: Super. Je passerai te prendre vers 7 h.

Je suis rentré chez moi plus confus que jamais. Même si ma soeur croyait qu'il valait mieux que je concentre mes énergies uniquement sur Léa, ma soirée avec Julianne m'avait convaincu du contraire.

La situation s'est compliquée davantage quand j'ai croisé Éloi lundi matin.

Moi (en ouvrant mon casier): Ça va, *man*?
Éloi: Ouais. Pourquoi?

Moi : Parce que tu as l'air aussi en forme qu'un lutteur mexicain après un combat.

Éloi a souri.

Éloi : C'est presque ça. J'ai cassé avec Marianne.

Merde.

Moi : Ah ouais ?

Éloi (en me dévisageant) : Vas-tu vraiment me faire croire que tu es surpris ?

Moi (en haussant les épaules) : Non. Mais je ne m'attendais pas à ce que ça foire aussi rapidement.

Éloi : Disons que ton party m'a ouvert les yeux sur certaines choses.

Moi (en prenant mes livres et en m'efforçant d'avoir l'air nonchalant) : Ah ouais ? Comme quoi ?

Éloi : Qu'on n'avait pratiquement rien en commun. Et que j'éprouvais peut-être des sentiments pour quelqu'un d'autre…

Re-merde.

Je me doutais bien qu'il parlait de Léa.

Moi : Ah ouais ? Qui, ça ?
Éloi (en haussant les épaules) : Ce n'est pas important. Ça n'ira nulle part.
Moi (en posant une main sur son épaule) : Ne t'en fais pas, *man*. Il y a d'autres poissons dans l'océan.

Je me sentais vraiment *cheap* de lui servir une expression toute faite pour l'écarter de mon équation.

Éloi (en souriant) : Tu parles comme Félix.
Moi : Le frère de Léa ?
Éloi : Ouais. Il a décidé de me trouver une nouvelle blonde deux secondes après que j'ai cassé avec Marianne.
Moi : Ben, là ! Fonce ! Félix peut te présenter des filles de secondaire 5, et je suis bien placé pour te dire qu'elles sont très cool à fréquenter.

Il m'a envoyé un regard inquisiteur.

Moi (en apercevant Léa au loin): Je te raconterai ça une autre fois. Il faut que je file. *Ciao!*

J'ai couru pour rejoindre Léa qui s'était engagée dans le corridor principal. C'était la première fois que je la voyais depuis notre baiser de samedi soir, et je voulais m'assurer qu'il n'y avait pas de malaise entre nous.

Moi (en lui bandant les yeux par-derrière): Devine qui c'est?
Léa (en s'arrêtant et en me tâtant le visage avec sa main): Monsieur Perez?
Moi (en me plantant devant elle): Eille! C'est chien, ça!

Léa a ri et la cloche a retenti pour annoncer le début des cours.

Moi: On se voit plus tard?
Léa: Je dois dîner au local du journal, ce midi.
Moi: OK. On se reprend, alors! *Bye!*

J'ai marché jusqu'à mon cours de français en me frottant les tempes. Mon triangle amoureux commençait à me donner mal à la tête.

Les cours, les devoirs et ma pratique de hockey m'ont toutefois empêché d'y penser jusqu'à ce que mon réveil sonne à 6 h tapantes, mardi matin.

J'ai pris ma douche en vitesse et je me suis rendu dans la cuisine en me déplaçant comme un zombie.

Ma mère (en préparant le café) : Alex ? Qu'est-ce que tu fais là ? Le soleil n'est pas encore levé, et même tes soeurs dorment encore ! As-tu un entraînement que je n'avais pas noté à l'horaire ?
Moi : Non. J'ai un travail à finir à l'école.

Ma mère m'a regardé d'un drôle d'air.

Ma mère : Ça fait six ans que je dois pratiquement utiliser une grue pour te sortir du lit, et là, tu te lèves de ton plein gré pour étudier ?

Moi : Ben oui. Je commence à être habitué avec le hockey.

Ma mère : Je sais. Mais je ne t'ai jamais vu faire ça pour tes travaux scolaires.

Ma mère n'était pas dupe. Heureusement que mes demi-soeurs ont choisi ce moment pour apparaître dans la cuisine et créer une diversion.

Juliette : Maman ! J'ai faim !

Camille : Moi aussi ! Je veux des rôties.

Ma mère : Qu'est-ce qu'on dit ?

Juliette : S'il te plaît, maman. Avec du lait.

Camille : Oui ! Mais je veux que ce soit Alex qui le serve.

Moi (en surveillant discrètement le cadran du four) : Je n'ai pas le temps, les filles. Je dois aller à l'école.

Les jumelles m'ont dévisagé comme si
je venais de leur annoncer que j'étais un
extraterrestre.

Camille : Pourquoi ?
Moi : Parce que j'ai un travail à finir.
Juliette : De quoi ?
Moi : De... Français.
Camille : Sur quoi ?
Moi : Les ponts-levis.

J'ai senti trois paires d'yeux se poser sur moi.

Ma mère : Pardon ?
Moi : Il fallait choisir un thème en lien avec
la science, et je me suis dit que ce serait
intéressant d'étudier le fonctionnement des
ponts-levis.
Ma mère (suspicieuse) : Hum. Peux-tu
élaborer ?
Moi (en prenant une banane au passage) :
J'aimerais ça, mais Éloi m'attend. Tu devineras
que c'est lui qui a choisi le sujet. *Bye !*

Je l'ai embrassée sur la joue et j'ai ébouriffé les cheveux de mes petites soeurs avant d'enfiler mon manteau et de sortir de la maison.

L'air glacial m'a aussitôt coupé le souffle. J'avais encore quelques minutes à attendre avant que Julianne vienne me chercher, mais je préférais me geler les fesses au coin de la rue que de mentir davantage à ma mère.

Tu lui caches la vérité pour son propre bien. C'est différent.

Un coup de klaxon m'a sorti de mes rêveries. J'ai couru vers la voiture de Julianne en lui faisant signe d'arrêter.

Moi (en m'installant sur le siège du passager tout en me frottant les mains) : Ne fais pas de bruit. Tu vas alerter tout le voisinage. Julianne (en me dévisageant, le regard amusé) : Ouin. Tu n'es pas *full* matinal, comme gars.

Moi (en baissant la tête pour m'assurer que personne ne me voit) : Appuie sur l'accélérateur !

Julianne (en obéissant, le sourire aux lèvres) : Relaxe, Alex ! Tu ne viens pas d'attaquer une banque, quand même !

Moi : Pourtant, c'est comme ça que je me sens.

Julianne : Tu n'aimes pas désobéir à ta maman ?

Moi : Non. Je suis un bon garçon.

Julianne : Pourtant, on s'est rencontrés dans un party où tu n'avais pas le droit de mettre les pieds.

Moi (en souriant et en me détendant peu à peu) : Touché. Il faut croire que ta présence m'incite à me rebeller.

Julianne : Est-ce que ça veut dire que tu n'as jamais séché de cours de ta vie ?

Moi : Seulement quand j'étais certain de ne pas me faire prendre. Là, c'est différent. Tous les profs vont s'apercevoir de mon absence.

Julianne (en posant une main sur son coeur) : Et tu prends tous ces risques simplement pour me voir ?

Moi : Qu'est-ce que je ne ferais pas pour tes beaux yeux ?

Julianne m'a souri avant d'immobiliser sa voiture sur le bord de la route.

Julianne (en me tendant son cellulaire) : Tiens. Trouve-moi le nom de ton école sur Internet.

J'ai obéi d'un air perplexe, puis je lui ai redonné son téléphone. Elle a alors composé le numéro en toussotant.

Julianne (en prenant une voix sérieuse) : Bonjour, je suis la mère d'Alex Gravel-Côté, qui est en secondaire 4.

Oups.

Julianne (en me dévisageant) : Hum. Oh, oui, pardon. Je n'ai pas encore pris mon café... Oui, c'est ça. Alex de secondaire 3. Je voulais simplement vous aviser que mon fils était malade ce matin et qu'il ne viendra pas à l'école. Merci, bonne journée à vous aussi.

Elle a raccroché avant de poser son regard à l'extérieur. J'ai réfléchi en me mordant la lèvre inférieure. L'humour demeurait ma meilleure arme pour désamorcer la bombe qui menaçait d'éclater.

Moi (d'un ton solennel): Julianne, il y a quelque chose que je tiens à te dire, et je préfère que tu l'apprennes de moi plutôt que de quelqu'un d'autre. Genre de la secrétaire de mon école. Je t'ai menti à propos de mon âge.

Silence.

Moi (en posant une main sur son épaule): Es-tu fâchée? Triste? Frustrée? Veux-tu que je sorte de l'auto? Tu peux même me faire courir tout nu autour du bloc si ça te fait du bien.

Elle s'est enfin tournée vers moi, l'air anxieux.

Julianne: Ça veut dire quoi, exactement? Que tu as treize ans?

Moi: Non! Je vais avoir quinze ans le mois prochain. Quand tu y penses, c'est presque l'âge que tu pensais que j'avais!

Julianne: Pourquoi m'as-tu menti?

Moi: M'aurais-tu embrassé si tu avais su que je n'étais qu'en secondaire 3?

Julianne (en haussant les épaules): Je ne sais pas.

Moi: Pff. Je suis sûr que tu ne m'aurais même pas adressé la parole.

Elle m'a regardé sans rien dire.

Moi: Écoute, je sais que c'est niaiseux de t'avoir caché la vérité, mais je l'ai fait parce que tu me plaisais vraiment et que j'avais envie que tu me donnes une chance.

Julianne (d'un ton froid): Avec ce que je viens de vivre avec mon ex, je suis un peu allergique aux menteurs.

Moi: Je comprends. Mais contrairement à lui, je ne t'ai pas menti pour te faire du mal. Au

contraire. Je l'ai fait parce que je n'avais pas
envie que tu me *flushes*.

Elle a plissé les yeux avant de poursuivre.

Julianne : Est-ce que ton prénom est vraiment
Alex ?
Moi : Oui. Et ce n'est même pas un diminutif.

J'ai fait une moue piteuse en la suppliant du
regard, et elle a fini par esquisser un petit
sourire.

Julianne (en plissant les yeux) : Si tu me refais
ça une autre fois, je te *stoole* à l'école au lieu
de te sauver les fesses.

Je l'ai embrassée.

Moi : Est-ce que ça veut dire que je suis
pardonné ?
Julianne : Oui, monsieur Gravel-Bébé.
Moi (en écarquillant les yeux) : C'est quoi, ce
surnom nul ?

Julianne : C'est celui que je te donne pour te punir.

Moi : Eille !

Julianne : Eille toi-même ! J'ai le droit de me moquer de toi. À l'infini.

J'ai souri et elle a repris la route.

Moi : Maintenant que la secrétaire pense que je suis malade et que tu sais tout à propos de ma vraie identité, est-ce que je peux savoir où tu m'emmènes ?

Julianne : Mon plan était de t'emmener chez mon oncle, puisqu'il n'y a personne, mais maintenant que je sais que j'ai affaire à un enfant, ça change la donne. Que dirais-tu d'un Joyeux Festin chez McDo ?

Je lui ai fait une grimace.

Moi : J'ai une meilleure idée.

Julianne : Je t'écoute.

Moi : Es-tu capable d'endurer le froid ?

Julianne: Je viens de Québec. Je suis pas mal plus *tough* que toi.
Moi: Pff. Ça reste à prouver.
Julianne (en me défiant du regard): Je n'attends que ça!
Moi: OK. Mais il nous faut d'abord un déjeuner.

On s'est arrêtés près d'un café pour commander des chocolatines et des boissons chaudes.

Moi (en regagnant la voiture): Là, il va falloir que tu suives mes instructions.
Julianne: Ça me fait peur.

Je l'ai guidée jusqu'à l'observatoire du Mont-Royal.

Julianne (en souriant): OK. J'avoue que c'est beau.

Je suis sorti de la voiture pour lui ouvrir la portière, puis nous nous sommes installés sur un banc pour manger.

Moi (en l'attirant vers moi): Viens, je vais te réchauffer.
Julianne (en riant): Ah! Là, je comprends ta stratégie! Tu ne m'as pas amenée ici pour le paysage, tu l'as fait pour te coller contre moi.
Moi (en riant): Tellement!

Je l'ai embrassée.

Julianne: T'es *cute*, mais je ne sens plus mes pieds.

On s'est réinstallés dans la voiture et Julianne a fait tourner le moteur pour qu'on se réchauffe.

Julianne (en consultant l'heure sur le tableau de bord): Je dois bientôt partir.
Moi: On se revoit quand?
Julianne: Je viens pendant les vacances des fêtes.
Moi: Et en attendant, est-ce que tu vas me bloquer sur tes réseaux sociaux?
Julianne (pince-sans-rire): Pas besoin. Tu n'as pas encore l'âge requis pour utiliser Facebook.

J'ai éclaté de rire.

Moi: Je ne suis pas aussi bébé lala que tu le penses.
Julianne (en plissant le nez): Prouve-le-moi.

Je pris sa nuque et je l'ai attirée vers moi pour l'embrasser à nouveau.

Julianne (en se détachant doucement): OK. C'est bon. Tu m'as convaincue.

On a continué à se coller pendant plusieurs minutes, puis elle a repris la route.

Julianne: Je te laisse où? À l'école?
Moi: Pas question. Je suis trop malade.
Julianne: Chez toi, alors?
Moi: Ouais.
Julianne: Et qu'est-ce que tu vas dire à ta mère?
Moi: Que je n'ai pas su résister à ton charme et que tu m'as refilé un virus.
Julianne (en souriant): C'est tout ce que tu mérites.

On s'est finalement séparés à quelques mètres de chez moi en se promettant de s'écrire cette semaine. J'ai passé le reste de la journée à dormir et à regarder la télé, et lorsque ma mère et Patrick sont rentrés vers 17 h, je leur ai fait croire que mon réveil à l'heure des poules avait eu un effet dévastateur sur moi et que j'avais quitté l'école en matinée, car je ne me sentais pas bien. Ma mère m'a préparé une soupe au poulet et m'a cajolé toute la soirée, me donnant presque le goût de lui mentir plus souvent.

Ce matin, Manu m'a sorti de mes rêveries en me lançant des céréales sur la tête.

Manu (en plissant les yeux) : Qu'est-ce qui se passe avec toi ?
Moi : Rien. Pourquoi ?
Manu : Tu as l'air bizarre.
Moi : Je suis juste fatigué.

Elle s'est assise près de moi et m'a observé avec beaucoup trop d'intensité.

Moi : Pourquoi tu me regardes comme si j'étais un insecte exotique?

Manu : J'essaie de lire en toi et de comprendre ton malaise.

Moi : Tu es un malaise.

Manu (en roulant les yeux) : Comment ça évolue entre Léa et toi?

Moi (en haussant les épaules) : Je suis tes conseils à la lettre. Je suis gentil avec elle sans envahir sa bulle.

Manu (songeuse) : Hum.

Moi : Quoi?

Manu : J'ai repensé à ça, et j'ai changé d'idée. Je crois que tu devrais être un peu plus entreprenant si tu veux que ça avance.

Moi : Ça veut dire quoi, ça?

Manu : Que tu devrais faire quelque chose avec elle en dehors de l'école pour lui permettre de te connaître un peu mieux.

Moi : Genre?

Manu : Tu pourrais l'inviter au cinéma. Il y a justement un film de vampires qui sort en fin de semaine.

J'ai grimacé.

Manu : Crois-moi, c'est une valeur sûre. Sans compter que tu pourras la rassurer si jamais elle a peur.

Elle m'a fait un clin d'oeil avant de s'éloigner.

Ma mère m'a déposé à l'école et j'ai croisé Marianne alors que je me rendais au gym pour le cours d'éducation physique.

Moi (en la dévisageant) : Salut ! Ça va ?
Marianne (les yeux exorbités) : Non. Je viens d'engueuler la petite conne comme du poisson pourri. Elle m'énerve tellement, Alex !
Moi : Hein ? De qui tu parles ?
Marianne : De Léa Olivier et de sa face d'hypocrite !
Moi : Tu n'exagères pas un peu ?
Marianne : Savais-tu qu'Éloi avait cassé avec moi en fin de semaine ?
Moi : Ouais. Il me l'a dit.

Marianne: Est-ce qu'il t'a aussi expliqué pourquoi?

Moi (mal à l'aise): Euh, non. Pas vraiment.

Marianne: À cause d'elle. C'est une tache qui n'a aucun respect pour les autres.

Moi: Je pense que tu capotes pour rien. Éloi m'a répété mille fois que Léa n'était qu'une amie.

Marianne: *Bullshit!* Il dit ça parce qu'elle s'acharne à jouer à la victime et à répéter que son ex lui a brisé le coeur, mais je te parie qu'Éloi aura tôt fait de lui faire oublier son campagnard! Je n'en reviens pas qu'il me *flushe* pour une laideronne pareille!

Moi (sans réfléchir): Je n'irais pas jusqu'à dire qu'elle est laide.

Marianne m'a fusillé du regard. Mieux valait ne pas la contredire.

Moi: Ce que je veux dire, c'est que tu paniques pour rien. Je pense que ça ne fonctionnait juste pas entre lui et toi. Éloi n'est pas un *fan* des filles dramatiques.

Marianne : Es-tu en train de me traiter de *drama queen* ?

Moi (pince-sans-rire) : Au contraire. Tu es la fille la plus relaxe que je connaisse.

Marianne (en croisant les bras sur sa poitrine) : Mieux vaut une fille avec du caractère qu'une fermière sans style et sans personnalité.

La deuxième cloche a interrompu son envolée lyrique.

Moi : Il faut que je file. Essaie de te calmer. Je suis certain que tu t'en fais pour rien.

J'ai couru jusqu'au gymnase en me croisant les doigts pour que j'aie raison. Après le cours, j'ai décidé de suivre les conseils de ma soeur et de faire un crochet par le casier de Léa.

Moi : Salut, Léa ! Ça va ?

Léa : Oui, toi ?

Moi : Oui.

J'ai pris une profonde inspiration avant de poursuivre. Je dois avouer que je me sentais plutôt nerveux de l'inviter, car rien ne m'assurait une réponse positive de sa part, surtout après son petit discours de samedi dernier.

Moi : As-tu envie d'aller au cinéma en fin de semaine ? Il paraît qu'il y a un film de vampires qui vient de sortir, alors je me suis dit que ça pourrait être cool de le regarder ensemble.
Léa : Euh... Je... Ben...

J'avais chaud. Et très peur qu'elle refuse.

Moi (en essayant de détendre l'atmosphère) : Qu'est-ce qui se passe ? Le chat t'a mangé la langue ?
Léa (en souriant) : On dirait. Mais là, il me l'a redonnée. Et ma réponse est oui. Ça me tente.
Moi (extrêmement soulagé) : Cool ! On s'en reparle !

Je lui ai fait un clin d'oeil avant de m'éloigner au plus vite, et j'ai passé le reste de la journée à l'esquiver pour éviter qu'elle change d'avis.

Après l'école, je me suis installé devant mon ordi pour commencer un rapport de français (n'ayant aucun lien avec les ponts-levis) quand une petite sonnerie m'indiquant l'arrivée d'un nouveau courriel a retenti.

À : Alex514@mail.com
De : JuJulianne@mail.com
Date : Mercredi 2 décembre, 16 h 49
Objet : Québec

Salut !

Juste un petit mot pour te dire que je suis rentrée saine et sauve. Si tu avais eu un cellulaire, je t'aurais envoyé un texto, mais comme j'ai à faire à un bambin, je dois m'y prendre de façon plus traditionnelle...

Je voulais aussi te dire que même si je suis encore sous le choc de la nouvelle que m'a apprise la secrétaire de ton école, je suis flattée que tu m'aies menti parce que je te plais. C'est une façon assez croche de me prouver que tu tiens à moi.

J'ai déjà très hâte de te revoir aux fêtes. D'ici là, tu demanderas la permission à tes parents pour te connecter à Skype ou Messenger. Ce serait plus cool de se parler en direct.

Je t'embrasse plusieurs fois,
Julianne

Je me suis mordu la lèvre avant de répondre.

À : JuJulianne@mail.com
De : Alex514@mail.com
Date : Mercredi 2 décembre, 17 h 07
Objet : Montréal

Salut !

Je suis content d'avoir de tes nouvelles, même si c'est par un moyen de communication préhistorique. Peut-être que lorsque j'aurai ton âge, j'aurai enfin des muscles et un cellulaire ! 😎

J'ai passé des moments très cool avec toi, et j'ai aussi hâte de te revoir. D'ici là, je me croise les doigts pour que mon papa et ma maman m'autorisent à utiliser les réseaux sociaux.

Bisous,
Alex

J'étais en train de me relire lorsque Manu a fait irruption dans ma chambre. J'ai appuyé sur ENVOYER sans réfléchir et j'ai rapidement rabattu le couvercle de mon ordi.

Manu (en plissant les yeux): Coudonc, est-ce que je viens de te surprendre la main dans le sac?
Moi (en rougissant): Qu'est-ce que tu veux dire par là?
Manu: Que tu visites des sites qui ne sont pas faits pour toi!
Moi (d'un air dégoûté): Ark! Pantoute! Je... Je faisais juste des recherches pour ton cadeau de Noël.

Ma réponse a semblé la satisfaire. Même si le fait de devoir débourser le peu d'argent que j'avais pour lui trouver une surprise ne m'enchantait pas, l'idée de lui avouer que j'entretenais actuellement une relation avec deux filles complètement différentes me semblait pire.

Manu : Alors, comment ça s'est passé avec Léa ?

Moi : Bien. Elle a dit oui.

Manu (en souriant) : Super ! Là, il ne te reste qu'à lui montrer que tu es plus sensible et mature que tu ne le laisses paraître.

Moi : Tu veux que je porte un béret et que je lui écrive des poèmes ?

Manu : Ben non, niaiseux ! Je veux juste que tu sois toi-même avec elle. Fais-lui découvrir le Alex que tu dévoiles dans ton journal. N'aie pas peur de lui révéler tes secrets et tes doutes.

Moi (pince-sans-rire) : C'est clair que si j'interromps son film de filles pour lui expliquer d'où vient ma hantise viscérale des insectes gluants, elle succombera à mon charme !

Manu (en roulant les yeux) : Fais comme tu veux, alors. Mais ne viens pas te plaindre si elle te *flushe* pour un gars plus sensible.

La vision d'elle et Éloi m'a aussitôt fait grimacer.

Moi : OK, j'ai compris. Je vais essayer d'être encore plus parfait que d'habitude.

Elle s'apprêtait à sortir de ma chambre lorsqu'elle a glissé sa tête par l'embrasure.

Manu: Et avec l'autre, c'est réglé?
Moi (en feignant l'innocence): Qui, ça?
Manu (en me faisant de gros yeux): Tu sais très bien de qui je parle. La fille de Québec que tu étais censé revoir. Juliette?
Moi: Julianne.
Manu: Oui, elle. Lui as-tu reparlé?
Moi: Euh, brièvement.
Manu: Pour lui expliquer que tu ne pouvais pas la revoir, j'espère?
Moi (en croisant mes doigts derrière mon dos): Oui, oui.
Manu (en me souriant): Très bien. Je crois vraiment que si tu veux mettre toutes les chances de ton côté avec Léa, c'est important de ne pas entretenir de relations ambiguës avec d'autres filles. Fie-toi à ta soeur et future psy: l'honnêteté est la clé du succès.

Elle m'a souri avant de fermer la porte. Si elle savait que mon triangle amoureux était en

train de se transformer en carré passionnel,
je crois qu'elle me renierait et qu'elle
réorienterait sa carrière.

A.

Samedi 5 décembre, 16 h 43

Je me sens comme une girouette. Un jour,
je suis pro-Julianne, et l'autre, je vois Léa
dans mes céréales. Je trouve ça niaiseux
d'être aussi mélangé, d'autant plus que ça ne
correspond pas du tout à mon plan d'action.
Je suis censé avoir du *fun* avec Julianne tout en
faisant croire à ma soeur que je suis follement
amoureux de Léa. Le problème, c'est que je
commence à confondre la réalité et la fiction.

En me rendant au cinéma hier, je n'arrêtais
pas de me répéter qu'il fallait simplement
voir notre sortie comme un pion stratégique
visant à me débarrasser de toi. Le hic, c'est
que mon coeur n'a pas reçu le mémo et qu'il
s'est emballé d'un coup dès qu'il a aperçu
Léa devant le métro. Elle était en train de se
débattre avec son foulard qui s'était coincé
dans la fermeture éclair de son manteau.

Moi : As-tu besoin d'aide ?

Léa (en rougissant) : Salut ! Je ne t'avais pas vu arriver.

Moi (en souriant) : C'est normal. J'aime ça rester en retrait pour observer les gens qui bataillent avec leurs écharpes. Ça me divertit.

Léa (en soupirant) : J'ai l'impression que ces moments de honte n'arrivent qu'à moi.

Moi : Mais non. La preuve, c'est qu'au primaire, j'ai déjà passé ma première journée d'école avec mon t-shirt coincé dans la fermeture éclair de mon pantalon.

Léa (en riant) : Wow. Et tu as survécu ?

Moi : Pas vraiment. J'en fais encore des cauchemars.

Je me suis approché d'elle et j'ai tiré doucement sur son foulard.

Moi (en fermant son manteau) : Et voilà.

Léa (en levant les yeux vers moi) : Wow. Tu es mon héros. Merci.

Je ne me tenais qu'à quelques centimètres d'elle. Je pouvais voir le trouble dans ses yeux

et sentir la tension entre nous. Aucun doute :
je lui faisais de l'effet.

Moi (en me reculant lentement) : On y va ?
Léa : OK, mais il faut que tu me guides. Je ne
comprends toujours rien à la ville souterraine.
Moi : Ça veut dire que si je t'abandonnais ici, tu
ne retrouverais pas ton chemin ?
Léa : *Nope*. Je serais forcée de refaire ma vie au
Centre Eaton.

J'ai ri et j'ai coincé mon bras sous le sien
pour la guider parmi la foule des gens qui
se pressait à faire leurs emplettes de Noël.
Après avoir acheté les billets, nous nous
sommes installés dans la salle de cinéma. Dès
les premières minutes du film, j'ai compris
que ce n'était vraiment pas mon genre de
long métrage. Je me suis tourné vers Léa,
qui fronçait les sourcils pour essayer de
comprendre quelque chose aux dialogues.
J'avais oublié que l'anglais n'était pas son fort.
J'ai pris sa main sans trop réfléchir. Je l'ai vu
esquisser un petit sourire dans la pénombre.

J'ai ensuite fait un effort surnaturel pour essayer de me concentrer sur l'écran, mais je me perdais sans cesse dans mes pensées.

OK. Relaxe, le grand. Léa te plaît. Ce n'est pas une raison pour t'emporter. Et ça ne veut pas dire que les choses ne sont pas plus simples et plus cool avec Julianne.

Après le film, j'ai décidé de mettre mon cerveau à *off* et de me détendre un peu. Léa et moi sommes allés nous balader sur la rue Sainte-Catherine. J'en ai profité pour mettre mon bras autour de ses épaules et l'attirer vers moi. Quand nous nous sommes arrêtés à une lumière, Léa a levé les yeux vers le ciel pour regarder la neige tomber. Je la trouvais belle. Je l'ai donc attirée vers moi et je l'ai embrassée. Heureusement, elle a répondu à mon baiser. On est restés là pendant plusieurs minutes, à bloquer le chemin aux passants.

Quand elle s'est finalement détachée de moi, je l'ai sentie frissonner. J'ai essayé de la réchauffer en lui frottant les bras, puis je lui ai pris la main et je l'ai entraînée vers le métro. On s'est alors assis sur un banc en souriant.

Moi : Es-tu pressée de rentrer ?
Léa (en consultant une horloge non loin de là) : J'ai encore quelques minutes avant que mes parents ne lancent un avis de recherche.
Moi (en l'embrassant à nouveau) : Tant mieux.

Elle s'est reculée doucement et a détourné le regard.

Moi : Ça va ?
Léa (un peu gênée) : Oui. Je ne suis juste pas habituée à ce genre de situation.
Moi : Qu'est-ce que tu veux dire ?
Léa : Ben... Toi et moi... Je ne sais pas trop ce que tu attends de moi.
Moi (en souriant) : Idem pour moi. Essaies-tu de profiter de mon corps, Léa Olivier ?

Elle a ri, puis elle m'a regardé d'un air sérieux.

Léa: Te souviens-tu de ce que je t'ai dit chez toi?

Moi: Juste après m'avoir rejeté?

Léa (en souriant): Pff! Tu exagères tellement!

Moi: Pour répondre à ta question, je m'en souviens très bien. Tu m'as dit que tu avais besoin de temps.

Léa (en se mordant la lèvre inférieure): Ouais. Mais ça ne veut pas dire que je n'aime pas passer du temps avec toi.

Moi (en approchant mon visage du sien): Et si j'essaie de t'embrasser, vas-tu partir en courant?

Léa: Essaie. On verra bien.

J'ai souri et j'ai posé mes lèvres sur les siennes.

Léa (en posant son front contre le mien): C'est cool avec toi.

Moi: Pourquoi?

Léa: Parce que tu n'es pas le genre de gars qui se casse trop la tête avec des questions existentielles.

Moi: Hum. Est-ce que c'est une façon polie de me traiter d'idiot?

Léa a éclaté de rire.

Léa : Non. Je veux simplement dire que tu n'es pas compliqué. Et que ça fait du bien.

En tout cas, je ne l'étais pas avant que ma grande soeur se mêle de ma vie et me casse les pieds avec ses grandes théories psychosensorielles.

Moi : Tant mieux. Mais je ne veux pas que tu penses que je ne comprends pas ce que tu vis.
Léa (en reprenant son sérieux) : Pourquoi ? As-tu vécu une peine d'amour, toi aussi ?
Moi : Je dirais plus un échec amoureux qui a tourné en blessure d'orgueil.
Léa : Veux-tu m'en parler ?
Moi : Ce n'est rien de très sérieux. J'avais un oeil sur une fille, mais ça n'a pas fonctionné, et disons que je vis encore avec les conséquences.
Léa : Pourquoi ? Est-ce que tu l'aimes encore ?
Moi : Non ! Mais comme c'est une amie de ma soeur, c'est difficile de l'éviter.

Je préférais m'en tenir à cette version plutôt que de lui avouer que j'avais fait un pari qui avait mal tourné, et que c'est pour cette raison que Jasmine était encore ancrée dans mes souvenirs.

Moi: Et toi, est-ce que tu penses encore à ton ex?
Léa: C'est sûr que ça me rend parfois un peu triste. Mais je pense que c'est de plus en plus lié au deuil de ce que ç'aurait pu être plutôt que de ce que c'était réellement. Tu comprends?
Moi: Genre que tu idéalisais un peu votre relation, et que ça t'a fait tomber de haut?

Elle m'a lancé un regard impressionné.

Léa: Exact! Et comme c'était mon premier *chum*, c'était facile de m'imaginer avec lui pour toujours. Mais maintenant, je réalise que la vie n'est pas aussi simple.
Moi: Je comprends.

Elle m'a souri. C'était la première fois qu'elle s'ouvrait un peu plus à moi.

Léa (en levant les yeux vers l'horloge) : Je pense que si je n'y vais pas bientôt, mes parents vont diffuser ma photo aux nouvelles.

Je l'ai accompagnée à sa rame de métro et je l'ai embrassée jusqu'à ce que son train arrive.

Moi (en me détachant d'elle) : On se voit lundi ?
Léa : Yep. Bonne fin de semaine !

Elle est disparue dans le wagon et je suis rentré chez ma mère, le sourire aux lèvres.

J'ai alors aperçu Manu qui m'attendait dans le salon.

Moi : Où sont les tornades ?
Manu : Elles se sont endormies avec maman.
Moi : Et Patrick ?
Manu : Il avait un concert ce soir. J'étais censée y assister avec Julien, mais il a un gros travail de fin de session à terminer, alors on s'organise plutôt un week-end de *nerds*. Romantique, hein ?
Moi : Mets-en.

Manu : Parlant de ça, comment s'est passée ta soirée avec Léa ?

Moi : C'était cool.

Manu : Ben, là ! Je veux plus de détails !

Moi (un peu gêné) : J'ai passé un bon moment, Manu ! Arrête avec tes questions !

Elle s'est levée d'un bond et elle est venue se poster devant moi.

Moi : Qu'est-ce que tu fais ?

Manu (en m'observant de trop près) : J'analyse ton comportement.

Moi (en la repoussant) : Peux-tu le faire à plus de deux mètres de moi, s'il te plaît ? J'ai besoin de ma bulle.

Manu a obéi en souriant.

Moi : Pourquoi tu fais cette face-là ?

Manu : Parce que j'ai réussi, Alex.

Moi : À compter mes pores ?

Manu : Non. À percer ta carapace.

Moi (en roulant les yeux) : Peux-tu arrêter de me psychanalyser, deux minutes ?

Manu : Non. Ça ne fait pas partie de notre *deal*.
Tu peux écrire dans ton journal sans que je
fouille dedans, tu peux essayer de jouer les
durs à cuire, même si je sais que tu as un coeur
d'artichaut, mais il est hors de question que je
ne te dise pas le fond de ma pensée.
Moi (sarcastique) : Alors, épargne-nous du
temps et crache le morceau.
Manu (en me regardant d'un air satisfait) : Tu
es amoureux, Alex Gravel-Côté.
Moi (en pouffant de rire) : HA ! Tu confonds
tout ! Ce n'est pas parce qu'une fille me plaît
que je suis en amour !
Manu : Je te connais assez pour savoir que
cette fois-ci, c'est différent.

Je me suis contenté de secouer la tête d'un
air découragé avant de m'enfermer dans
ma chambre. Moi, amoureux de Léa ? Elle
capote ! Si ce que je ressentais était si intense,
pourquoi est-ce que je garderais le contact
avec Julianne ? Parlant d'elle, j'ai consulté ma
boîte de courriel et j'ai réalisé qu'elle m'avait
écrit quelques heures plus tôt.

À : Alex514@mail.com
De : JuJulianne@mail.com
Date : Vendredi 4 décembre, 21 h 41
Objet : Je m'ennuie !

Salut !

Je reviens d'une petite fête chez mon amie, mais je ne me suis pas full amusée. J'avoue que tu occupes pas mal mes pensées. Qui aurait cru que je craquerais pour un petit jeune de secondaire 3 qui habite à l'autre bout du monde ?

Toi, ta soirée ?
Julianne xox

J'ai froncé les sourcils. Qu'est-ce que j'étais censé lui répondre? Que je n'avais pas vraiment pensé à elle puisque j'avais passé la soirée en compagnie d'une fille de mon école qui me plaît beaucoup? *Fail.*

Que j'ai été très occupé, mais que j'avais bien hâte de la revoir pour qu'elle me change les idées avec son côté rebelle? *Fail.*

Qu'une chance qu'elle existe pour me distraire? Hum. C'est mieux.

À : JuJulianne@mail.com
De : Alex514@mail.com
Date : Vendredi 4 décembre, 22 h 44
Objet : Bientôt Noël !

Salut !

Content d'avoir de tes nouvelles et de savoir que je te déconcentre dans les partys ! 😊 Pour ce qui est du reste, que veux-tu ? Il n'y a pas d'âge pour être un demi-dieu ! 😎
J'ai aussi très hâte de te revoir. Ma vie est pas mal plus excitante quand tu es là pour m'influencer et me transformer en garçon désobéissant ! Heureusement que Noël approche !

Bonne nuit !
Alex

Ce matin, je me suis réveillé aux aurores pour me rendre à mon entraînement de hockey. Les parents d'Alexis sont venus me chercher vers 7 h et je suis resté silencieux jusqu'à l'aréna. J'ai traîné les pieds durant tout l'entraînement, et ce n'est qu'une fois rentré au vestiaire qu'Alexis a osé me faire face.

Alexis : *Man*, qu'est-ce qui se passe avec toi ? T'as une face de zombie et tu joues comme un pied.
Moi (sarcastique) : Merci. Ça me fait chaud au coeur d'entendre ça.
Alexis : *Come on !* Ne viens pas me faire croire que tu t'es trouvé bon !
Moi (en soupirant) : J'avoue que je n'ai pas trop la tête au hockey, ce matin.
Alexis : Pourquoi ? Pas ton histoire de triangle équilatéral, j'espère ?

Je me suis contenté de hausser les épaules.

Alexis : Ton ami Éloi a gagné la bataille géométrique, c'est ça ?

Moi : Non. C'est moi qui ai compliqué l'équation.

Alexis (en s'assoyant) : Qu'est-ce que tu veux dire ?

Moi : Tu sais, la fille que j'ai rencontrée en Beauce ?

Alexis : La soeur de Morin ? Ouais.

Moi : Je l'ai revue.

Alexis : Elle n'habite pas à Québec ?

Moi : Ouais, mais elle est venue ici pour visiter des cégeps, et j'ai séché les cours pour la voir.

Alexis (en me tendant son poing) : *Nice!*

Moi : Pas tant que ça.

Alexis : Pourquoi ?

Moi : Parce qu'hier soir, je suis aussi allé au cinéma avec Léa.

Alexis : L'as-tu *frenchée* ?

Moi : Oui.

Alexis : Et la fille de Québec ?

Moi : Aussi.

Alexis : Donc tu vois deux filles en même temps ? Pff. Je ne vois pas de quoi tu te plains.

Moi : Contrairement à toi, je ne suis pas un gros macho fini.

Alexis: Alors, *flushes*-en une.

Moi: Laquelle?

Alexis: Celle de Québec. La géographie joue pas en sa faveur.

Moi: Ouais, mais c'est étrangement plus simple avec elle. Sans compter qu'elle est en secondaire 5.

Alexis: Alors laisse tomber l'autre. Comme ça, tu n'auras plus à te casser la tête avec tes équations à la con.

Moi: Je ne suis pas capable. Elle me fait trop d'effet.

Alexis: Plus que l'autre?

Moi: Oui. Mais sa vie est comme plus compliquée.

Alexis: Selon moi, c'est un gros *turn-off*.

Moi: Je ne sais pas quoi faire.

Alexis (en me tapant l'épaule): *Dude*, j'ai la solution pour toi.

Moi: *Flusher* les deux? Ça ne me tente pas non plus.

Alexis: Ben non, épais.

Il a sorti une monnaie de sa poche de pantalon.

Alexis : Tire à pile ou face.

Moi : Es-tu sérieux ?

Alexis : Oui, *man*. Le caribou, c'est Léa, et la reine, c'est la fille de Québec. C'est le hasard qui décide.

Moi : Ce n'est pas un peu con de choisir une fille avec un vingt-cinq cennes ?

Alexis : C'est toi qui es con de te plaindre d'avoir deux blondes.

J'ai regardé la pièce de monnaie, puis je l'ai lancée dans les airs avant de l'attraper au vol et de la poser sur le dessus de ma main.

Alexis : Et puis ?

Moi (en observant la pièce) : C'est la reine.

Alexis : Tu vois ? C'est réglé. C'est Québec qui remporte la partie.

Moi : Non.

Alexis : Ben oui ! On avait déterminé que si c'était la reine...

Moi : Je sais, mais ton jeu épais m'a fait réaliser quelque chose.

Alexis : Quoi ?

Moi : Je voulais que ce soit le caribou qui gagne. C'est Léa que je veux.

J'ai souri et j'ai rangé la pièce dans la poche de mon jeans.

Alexis : Alex, je...
Moi : Arrête de m'obstiner. Je sais ce que je fais.
Alexis : Tant mieux, *man,* mais ce n'est pas ce que je voulais te dire.
Moi : Quoi ?
Alexis : Tu me dois vingt-cinq cennes.

Mon meilleur ami est un imbécile.

A.

Chapitre 7:
Autruche et gastro-entérite

Lundi 7 décembre, 20 h 34

Je viens de recevoir un courriel de Julianne, et je me sens vraiment poche.

À : Alex514@mail.com
De : JuJulianne@mail.com
Date : Lundi 7 décembre, 18 h 44
Objet : 19 jours

Salut, Alex-le-demi-dieu

Je suis désolée de t'avoir fait attendre aussi longtemps avant de te répondre, mais j'ai encore dû me taper un tournoi de hockey en fin de semaine. Le pire, c'est que cette fois-ci, j'étais la chauffeuse attitrée et qu'il n'y avait pas de gars-*cute*-non-*douchebag* pour me tenir compagnie.

La bonne nouvelle, c'est qu'il ne me reste que dix-neuf jours avant de te voir ! Est-ce que tu seras capable de tenir jusque-là ? Car de mon côté, ce sera difficile !
D'ailleurs, je me suis finalement décidée à parler de toi à mes amies. Elles savaient que j'avais rencontré un gars en Beauce et que je l'avais revu à Montréal, mais je

ne leur avais toujours pas avoué que tu étais légèrement plus jeune que moi. 😉 Après avoir consulté ton profil Facebook, elles m'ont donné l'absolution. Elles se demandent même ce que boivent les gars de Montréal pour être aussi beaux !

Je sais que c'est plus compliqué pour toi, mais si jamais tu as l'occasion de venir faire un tour à Québec pendant les vacances, elles se meurent d'envie de te connaître. J'en profiterais aussi pour te présenter à mes parents et à mon frère. Il sait que je fréquente un gars du hockey, mais je n'ai pas encore eu le coeur de lui avouer que c'était un de ceux qui les avaient éliminés en Beauce. Je préfère le faire quand tu seras avec moi.

Es-tu libre pour *skyper* cette semaine ? Je m'ennuie de tes beaux yeux.

Julianne xox

Bravo, champion. Bra-vo. Me voilà dans une relation sérieuse avec la fille que j'ai décidé de *flusher*. Tout ça parce que j'ai entretenu des échanges mielleux avec elle pour me prouver que Léa n'était qu'un *kick*. Si Manu apprenait ça, elle m'enverrait passer le réveillon dans ma «belle-famille» à Québec!

A.

Mardi 8 décembre, 22 h 44

Je n'ai toujours pas trouvé le courage de répondre à Julianne et je me trouve toujours aussi moron de ne pas m'être ouverts les yeux avant, mais je me dois de concentrer tous mes efforts sur Léa.

Depuis hier, nous nous envoyons d'ailleurs des sourires remplis de sous-entendus lorsque nous nous croisons à l'école, sans toutefois nous afficher publiquement. Après tout, je tiens à respecter son besoin de temps. Sans compter que ça rend la chose beaucoup plus excitante, et que je ne tiens pas à ce que Maude et Marianne s'acharnent davantage sur son sort.

C'est donc pour toutes ces raisons que je l'ai entraînée subtilement vers le local d'échecs lorsque la cloche annonçant l'heure du dîner a retenti.

Moi (en fermant la porte derrière moi et en lui souriant) : Salut !

Léa (en regardant autour d'elle d'un air curieux) : Allo !

Moi : Tu te demandes ce qu'on fait ici, hein ?

Léa : Tu veux qu'on participe au tournoi interscolaire ?

Moi (ironique) : Tu lis dans mes pensées ! Mais avant, j'avais pensé aller au café près d'ici. Ça te tente ?

Léa : Oui ! Je vais chercher mon manteau et je te rejoins à la sortie !

Ce n'est qu'une fois dans la rue que j'ai osé prendre sa main.

Moi (en me tournant vers elle) : Salut !

Léa (en plissant les yeux) : On n'a pas déjà eu cette conversation il y a, genre, trois minutes ?

Moi : Oui, mais là, c'est différent.

Léa : Pourquoi ?

Je l'ai attirée vers moi et j'ai posé mes lèvres sur les siennes.

Moi : Parce que je peux faire des salutations plus intimes.

Léa : Hum, je vois. Tu fais ça avec toutes tes amies ?

Moi : Seulement celles qui le méritent.

Elle a souri et on a continué de marcher en silence. Une fois rendu au café, je l'ai entraînée vers le sofa situé tout au fond, près d'un feu de foyer.

Léa : Wow. C'est romantique.

Moi (pince-sans-rire) : Je les ai appelés tantôt pour qu'ils me gossent quelque chose en vitesse.

Léa : Cherchais-tu à m'impressionner ?

Moi : Oui.

Léa : C'est réussi.

Je me suis assis et j'ai passé mon bras autour de ses épaules. Nous avons commandé deux chocolats chauds qu'on a bus en parlant de tout et de rien.

C'est en regagnant l'école que j'ai senti un changement d'attitude de sa part. On riait, bras dessus, bras dessous, quand Éloi est passé à côté de nous. Il m'a salué d'un petit signe de tête et a poursuivi son chemin. Léa s'est aussitôt détachée de moi.

Léa: Je... Il faut que je passe à mon casier. On se parle plus tard, OK?
Moi: OK! Je...

J'allais lui offrir d'aller se balader après les cours, mais elle avait déjà disparu. José est alors arrivé à côté de moi.

José: T'étais où, *man*? Je te cherchais pour jouer au basket!
Moi: J'étais sorti manger.
José: Pas avec Léa Olivier, j'espère?
Moi (un peu sur la défensive): *Dude!* Laisse-moi tranquille avec ça. J'ai le droit de *dater* qui je veux.
José (en haussant les épaules): Je pense juste que tu perds ton temps. Maude m'a dit qu'elle

était certaine que c'était louche entre elle et
le *nerd*.
Moi : Quel *nerd* ?
José : Éloi, l'ex de Marianne.
Moi : Je ne me fierai certainement pas aux
potins ni au comportement paranoïaque de ta
blonde et de ses amies.

Je lui ai fait un signe de la main et suis
parti chercher mes manuels scolaires en
m'efforçant de rester positif. C'est là que j'ai
aperçu Léa, qui était appuyée contre mon
casier et qui discutait avec Éloi. Je n'arrivais
pas à entendre ce qu'elle disait, mais je voyais
bien que c'était intense. J'ai attendu qu'elle
parte avant de m'approcher.

Moi (en feignant l'innocence) : Ça va, *man* ?
Éloi (en refermant son casier, visiblement de
mauvaise humeur) : Ouais.
Moi : T'es sûr ?

Il a poussé un long soupir avant de se tourner
vers moi.

Éloi: Oui, désolé. C'est Léa... Elle n'aime pas
que je sois ami avec son frère.
Moi (en haussant un sourcil): Elle est jalouse
de votre *bromance*?
Éloi (en haussant les épaules): Ce n'est quand
même pas de ma faute si je m'entends bien
avec tout le monde.
Moi: Même avec des Apollons comme moi?
Éloi: J'essaie.
Moi (ironique): Wow. T'es un véritable
caméléon!

Il a éclaté de rire, puis il m'a observé d'un
drôle d'air.

Moi: Pourquoi tu me regardes de même? Je
suis si beau que ça?
Éloi: Dans tes rêves, *bro*.
Moi: Qu'est-ce qu'il y a, alors?
Éloi (un peu nerveux): C'est juste que... est-ce
que je peux te poser une question indiscrète?
Moi: Tu veux connaître mon secret?
Éloi: *You wish*. Non... En fait, je me demandais
ce qui se passait entre Léa et toi.

Moi (en bredouillant) : Euh, je... On apprend à se connaître. Pourquoi ? Qu'est-ce qu'elle t'a dit ?

Éloi : La même chose que toi.

Moi (en voulant mettre cartes sur table) : Écoute, *man*, je ne veux pas que ce soit *weird* entre nous à cause de ça. Dis-le-moi si ça t'énerve qu'on passe du temps ensemble.

Éloi (un peu trop sur la défensive) : Pff. Pas du tout ! Pourquoi ça me dérangerait ?

Moi : Je ne sais pas... Tu m'as dit qu'une fille t'intéressait, et je ne suis pas cave. Je me doute bien qu'il s'agit d'elle.

Éloi (en posant une main sur mon épaule) : Je te jure que tu es libre de faire ce que tu veux. Et la fille dont je te parlais, c'est celle que Félix m'a présentée. Tu vois ? Tout le monde est heureux ! Bon, il faut que j'y aille. *Ciao*, là !

Je voyais bien qu'il mentait, mais je ne tenais pas à m'obstiner avec lui après qu'il m'eut donné le feu vert avec Léa.

Après les cours, j'ai pris le métro jusqu'à l'aréna et je me suis entraîné pendant une heure en vue de notre gros match de samedi matin auquel mon père m'a promis d'assister. Et là, je suis mort de fatigue, alors je te laisse.

A.

Samedi 12 décembre, 16 h 44

Je suis d'humeur massacrante aujourd'hui, mais ma soeur me force tout de même à t'écrire. J'ai beau lui répéter que mon assiduité des dernières semaines devrait me donner droit à un *break*, madame est tellement en colère contre moi qu'elle ne veut rien entendre et qu'elle me force à lui obéir, question de «faire face à mes problèmes».

Je n'ai pourtant pas besoin de perdre mon temps à te raconter ma vie pour savoir ce qui me préoccupe.

Premièrement, j'esquive Julianne depuis le début de la semaine. Elle m'a écrit sur Skype et Messenger en espérant que je lui réponde, mais je me mets «absent» pour éviter d'être confronté à ses attentes, que j'ai moi-même nourries.

Deuxièmement, je sens que Léa m'évite depuis notre sortie de mardi, et ça m'énerve. Elle se comporte avec moi comme je le fais avec Julianne, et ça n'augure rien de bon. Hier, j'ai finalement réussi à la croiser près de la cafétéria, mais notre échange ne m'a pas rassuré.

Moi: Salut, miss Invisible!
Léa (en rougissant): Salut, Alex!
Moi: Tu es difficile à trouver, ces jours-ci!
Léa: Ouais, je suis désolée. J'ai une semaine de fou!
Moi: Tu n'as pas à t'excuser d'avoir un horaire chargé. Je m'ennuyais juste un peu de voir ta face.

Elle a esquissé un sourire gêné.

Moi: Est-ce que ta fin de semaine s'annonce aussi intense? Sinon, tu pourrais me convaincre d'aller voir un autre film de filles.

Léa a ouvert la bouche, mais aucun son n'est sorti.

Moi : Le chat t'a encore bouffé la langue ?

Elle a souri, un peu mal à l'aise.

Léa : Je pense que ça va être difficile pour moi.
J'ai promis à ma mère de l'accompagner au
musée et je dois rencontrer Annie-Claude pour
travailler sur le journal. On se reprend ?

Ayoye. Ouch. Aïe. Une claque solide à mon
orgueil. Je venais de me faire *flusher* pour une
visite au musée.

Moi (en m'efforçant de garder le sourire et
d'avoir l'air nonchalant) : *Sure!* Pas de stress.
Bye!

Je me suis éloigné pour éviter qu'elle puisse
lire la déception sur mon visage. Je me
trouvais con de m'être emballé aussi vite.
Et surtout, je m'en voulais de m'être laissé
emporter par les grands conseils de gourou
Manu.

Heureusement pour moi, José m'a aussitôt changé les idées en me proposant de passer la soirée chez lui avec Maude, Marianne et Sophie.

Maude (en bâillant): C'est plate. Qu'est-ce qu'on fait?

Marianne: On invite des gars. J'ai besoin de me changer les idées et d'oublier le moron qui court après Léa-la-tache.

Maude: Jeanne organise justement un party chez elle pour lui vendredi prochain. Ce serait trop *nice* que tu te pointes avec un gars du cégep pour lui faire ravaler sa morve.

J'ai grimacé.

Moi: Ce n'est pas un peu fort, comme image?

Maude: C'est tout ce qu'il mérite pour avoir fait de la peine à mon amie.

Moi: Il ne peut quand même pas se forcer à être amoureux de Marianne.

Marianne et Maude m'ont dévisagé comme si j'étais l'antéchrist.

Moi : Ne me regardez pas comme ça ! Tout ce que je dis, c'est que Marianne gagnerait à l'oublier.

Maude (du tac au tac) : Et toi, tu gagnerais à casser avec Léa-la-rejet.

Moi (en lui faisant un clin d'oeil) : Aux dernières nouvelles, j'étais encore célibataire.

Sophie (en sautant sur l'occasion) : Est-ce qu'on joue à la bouteille, d'abord ?

Tous les regards se sont tournés vers elle.

Sophie : Ben, quoi ? C'est un jeu comme un autre.

Maude (en roulant les yeux) : Si tu veux qu'Alex t'embrasse, tu n'as qu'à lui demander au lieu de nous proposer tes idées niaiseuses.

Et vlan ! Qui de mieux que Maude Ménard-Bérubé pour jeter un froid sur une soirée.

Moi (en me levant) : Je pense que c'est mon *cue* pour partir.

Sophie : Pourquoi ? Il est encore tôt !

Moi: Je sais, mais j'ai un match de hockey demain matin.

J'ai salué tout le monde et je me suis dirigé vers la sortie, suivi de près par Sophie.

Moi (en enfilant mes bottes): Tu n'es pas obligée de m'accompagner jusqu'ici...
Sophie: Je sais. Mais l'idée de Maude n'est pas si folle.

Au. Secours.

Moi: Qu'est-ce que tu veux dire?
Sophie: Voudrais-tu m'embrasser?

J'ai senti la sueur perler sur mon front.

Moi: C'est super flatteur, Sophie, mais je ne peux pas. Ce ne serait pas honnête.
Sophie: Pourquoi?
Moi: Parce que je... fréquente quelqu'un d'autre.
Sophie: Léa, c'est ça?

Moi: Non. Oui. Pas vraiment.
Sophie: Si tu ne la fréquentes pas vraiment,
alors tu peux m'embrasser, non?
Moi: Ce n'est pas aussi simple, et je ne veux
pas profiter de toi.
Sophie (en haussant les épaules): C'est correct.
Moi: Non, ça ne l'est pas. Tu mérites un gars
qui va t'aimer en retour, Sophie.

Elle a baissé les yeux, l'air piteux.

Moi: Je peux me permettre un conseil?
Sophie: Vas-y.
Moi: Arrête d'écouter Maude. T'es assez
intelligente pour prendre tes décisions toute
seule.

Elle m'a souri.

Sophie: Merci.

Je me suis couché dès que je suis rentré chez
moi, et en me levant ce matin, j'ai tout de suite
senti que quelque chose n'allait pas. J'avais

affreusement mal à la tête et j'avais de fortes nausées.

Brigitte (en frappant à la porte): Il faut que tu te lèves. Sinon, on va être en retard.
Moi (en m'assoyant péniblement dans mon lit): OK.
Brigitte (en s'approchant de moi): Ça va? Tu es un peu vert...
Moi: J'ai mal au ventre.
Brigitte (en reculant, l'air un peu dégoûté): Hum. Ça ne m'étonne pas. Ça semble pas mal contagieux, cette affaire-là.
Moi: Quoi, ça?
Brigitte: Le virus des jumelles. Ta mère nous a dit qu'elles avaient chopé quelque chose à la garderie.
Moi: Si c'était le cas, on serait tous malades.

J'ai alors entendu la porte de la salle de bains claquer.

Brigitte : Manu et ton père ont justement fait pas mal d'allers-retours aux toilettes, cette nuit...

Moi (en grimaçant) : Oh. Je pense que c'est à mon tour d'y aller !

Brigitte : Va en bas, je crois que c'est libre !

J'ai couru vers les toilettes du rez-de-chaussée et j'ai fait « ce que j'avais à faire ». Quand j'ai finalement été capable de rassembler la force nécessaire pour me traîner jusqu'au salon, j'y ai aperçu mon père qui était couché sur le sofa, une débarbouillette sur le front.

Mon père (en ouvrant un oeil) : Désolé, Alex, mais je ne crois pas que je vais être en état d'assister à ton match.

Moi (en me tenant le ventre) : Crois-moi, je comprends.

Mon père (en me dévisageant) : Tu es aussi vert qu'un avocat. Tu ne peux pas partir dans cet état-là !

Moi : Je n'ai pas le choix. On joue contre les Bulldogs et ce sont nos plus grands rivaux. Il faut absolument qu'on gagne pour s'assurer une place en série.

La sonnette de l'entrée a alors retenti. J'ai ouvert, et j'ai aperçu Alexis qui me tendait un café et un sandwich au bacon.

Alexis (en entrant dans la maison et en refermant la porte derrière lui): Tiens! Je t'ai commandé le déjeuner du champion!

Il m'a alors observé d'un air préoccupé.

Alexis: *Dude*, qu'est-ce qui se passe avec ta face?

L'odeur du café et du bacon m'a levé le coeur. J'ai couru jusqu'aux toilettes pour vomir ma vie. Quand je suis revenu, Alexis se tenait près de la porte, un torchon sur le nez.

Moi: J'arrive, *man*. Laisse-moi juste m'habiller et me mettre un peu d'eau sur le visage. Je ne me sens pas super frais.

Alexis : Ouin. Brigitte vient de me dire que vous aviez la gastro. Ce n'est pas que je ne t'aime pas, *man,* mais il faut que je sorte d'ici. Je n'ai comme pas le goût d'attraper vos bibittes.

Moi (en m'approchant de lui) : OK, mais dis à tes parents de m'attendre ! C'est le match le plus important de la saison.

Alexis : Je ne crois pas que ce soit une bonne idée que tu viennes. Tu risques de faire une crêpe sur la patinoire ou de contaminer toute l'équipe. Imagine si Ron attrapait la chiasse par ta faute !

J'ai ri, mais une violente crampe d'estomac m'a aussitôt fait perdre mon sourire.

Mon père (en levant la tête du divan) : Alexis a raison. Tu es trop magané pour jouer. Viens plutôt t'installer près de moi.

J'ai baissé les yeux, vaincu. Alexis m'a fait un petit signe de la main en me promettant de m'appeler après la partie pour me donner des nouvelles, puis il est parti en courant.

Moi (en rejoignant mon père): Merci, Camille. Merci, Juliette. Grâce à vous, je me vide le corps et je rate un moment crucial de ma saison de hockey.

Mon père (en fronçant les sourcils): Ne blâme pas tes soeurs! Ce n'est quand même pas leur faute si un petit morveux leur a refilé un virus!

Ma soeur (en apparaissant de nulle part, aussi blême qu'un fantôme): Ne me parle pas de l'enfant responsable de ma torture. Ça va me rendre violente.

Brigitte s'est alors postée devant la télé et nous a dévisagés longuement.

Brigitte: Réalisez-vous que vous êtes en train de perdre votre énergie à jeter le blâme sur un enfant innocent que vous ne connaissez même pas?

Moi: Pff! Il n'avait qu'à ne pas me faire rater mon match! Pour une fois que papa venait assister à l'une de mes parties.

Mon père: Ne sois pas si dur, Alex. J'y vais le plus souvent possible.

Manu (en l'interrompant): On s'en fout du hockey! Réalisez-vous que Julien me préparait une grosse surprise et que je dois annuler?

Mon père: Et moi, je dois annuler ma soirée au Centre Bell avec Patrick!

Moi: Eille! C'est le troisième match des Canadiens que tu vas voir en deux mois!

Mon père: *Come on*, Alex! Tu ne peux quand même pas comparer...

Brigitte (en interrompant notre discussion): ÇA SUFFIT!

Manu, mon père et moi avons levé les yeux vers elle, surpris.

Brigitte: Est-ce que vous vous entendez? On croirait des enfants de maternelle! Même Léo pourrait vous donner un cours de maturité!

Moi: Parlant de lui, où est-il?

Brigitte: Il fait sa valise.

Manu: Il me semble qu'il est un peu jeune pour quitter le nid familial, non?

Brigitte: En tout cas, il est assez vieux pour savoir qu'il vaut mieux vous fuir, vous, vos plaintes et vos microbes!

Moi: De quoi tu parles, Brigitte?

Brigitte: Je viens de parler à ta mère. Elle m'a dit que les filles étaient complètement remises. Elles pourront donc passer la journée avec Léo, sous la supervision de Patrick.

Mon père: Et toi, tu vas prendre soin de nous?

Brigitte: Pff. Es-tu fou? Moi, je vais en profiter pour aller au spa avec Isabelle.

Manu: Isabelle, ma mère?

Brigitte: Oui. Et après, on ira voir les Canadiens jouer au Centre Bell.

Mon père: Quoi? Tu vas m'abandonner dans ma douleur pour aller te faire masser et assister au match que je devais voir?

Brigitte (en enfilant son manteau et en lui souriant): Yep. D'ailleurs, merci pour les billets, chéri. J'adore les rouges. En guise de reconnaissance, je vous ai laissé du Jell-O et de la soupe au poulet dans le frigo. Pour le reste, je suis certaine que vous serez capables de survivre sans moi.

Léo est alors apparu en bas des escaliers.

Moi : Petit frère, tu ne vas pas nous
abandonner comme ça, hein ?
Léo (en haussant les épaules) : Désolé, Alex,
mais je n'aime pas le vomi ni le caca mou. Et
j'ai envie d'aller jouer avec les jumelles.
Brigitte (en lui embrassant la tête) : Sage
décision. Je vous appellerai plus tard pour
prendre de vos nouvelles. Mais ne nous
attendez pas avant demain soir.

Elle a pris son sac et celui de Léo, puis elle
s'est tournée vers nous.

Brigitte (en s'adressant à mon père) : Chéri, je
t'aime, mais je t'embrasse seulement de loin.
Bon rétablissement, et s'il y a quoi que ce
soit...

Elle nous a lancé un regard bienveillant avant
de poursuivre.

Brigitte : ... Vous appellerez Info-Santé. *Ciao !*

Elle a fermé la porte et mon père s'est aussitôt renfrogné.

Mon père : Pff. Pour le meilleur et pour le pire, mon oeil !
Manu (en posant une couverture sur ses épaules) : Tu n'avais qu'à la marier si tu voulais qu'elle respecte ses voeux.
Moi : Et on fait quoi, maintenant ?
Mon père (en courant vers les toilettes) : On se bat pour l'usage de la salle de bains la plus proche !
Moi : C'est le samedi le plus déprimant de mon existence.

Je me suis tourné vers Manu, qui était devenue translucide.

Manu : Excuse-moi, Alex, mais il va falloir que tu me parles de tout ça dans une quinzaine de minutes.

Elle a couru jusqu'aux toilettes de l'étage, me laissant seul devant les dessins animés. J'ai essayé de me concentrer sur l'écran pendant quelques minutes, puis j'ai été saisi par une violente crampe d'estomac.

Moi : Et je fais quoi, moi ?

J'ai finalement réussi à patienter jusqu'à ce que mon père sorte de la salle de bains, et nous avons effectivement passé la matinée et une partie de l'après-midi à courir d'une toilette à l'autre.

Alexis m'a finalement appelé vers midi pour m'annoncer que nous avions gagné 4 à 1. Je me suis évidemment retenu d'admettre que ça me faisait un petit pincement au coeur de constater que mon absence n'avait aucun impact sur la performance de l'équipe.

Manu (en me voyant maugréer tout bas) : Pourquoi tu fais une tête d'enterrement ?
Moi : Une gastro, ce n'est pas suffisant, comme raison ?
Manu : C'est chiant, en effet.

Moi : C'est le cas de le dire !

On a tous les deux éclaté de rire.

Mon père (en me tendant le combiné du téléphone) : Alex, c'est pour toi.
Moi (en me laissant tomber sur le sofa à côté de ma soeur) : Si c'est encore Alexis, dis-lui que je vais le rappeler. Je n'ai pas assez d'énergie pour continuer de lui faire croire que je suis heureux d'être inutile à l'équipe.
Manu (en me dévisageant) : C'est ça qui te gosse ? Tu es tellement bébé, Alex ! Le hockey, c'est un sport d'équipe, et si les gars ont réussi à gagner sans toi, c'est parce qu'ils ont réuni leurs efforts pour compenser ton absence.
Moi (en roulant les yeux) : OK, Freud ! Tu feras ce discours au *coach* des Canadiens.
Mon père : Ce n'est pas Alexis. C'est une fille.
Manu (en écarquillant les yeux) : Wou ! Ce doit être la belle Léa !
Moi (en lui faisant de gros yeux) : Chut !

J'ai pris le combiné en priant les dieux de la gastrite pour que ma soeur ait raison.

Moi : Allo ?
Voix féminine : Salut, demi-dieu. Je te dérange ?

Julianne. Et là, je ne pouvais pas faire semblant d'être absent.

Moi (en me rendant dans la cuisine pour éviter que Manu nous entende) : Eille ! Salut, Julianne. Désolé d'être disparu de la mappe, mais mes petites soeurs m'ont refilé une cochonnerie et je suis au lit depuis deux jours.

Je sais, j'exagère un peu. Mais toute vérité n'est pas toujours bonne à dire. Surtout pas en ce moment.

Julianne (d'un ton empathique) : Oh, non ! Qu'est-ce qui se passe ? As-tu la grippe ?
Moi : Euh, genre. Dans l'intestin.
Julianne : Ish. Je suis passée par là. Pas cool.

Il y a eu un moment de silence.

Julianne: Je ne te dérangerai pas longtemps. C'est juste que comme je n'avais pas de tes nouvelles depuis plusieurs jours, je me suis dit que je te lâcherais un coup de fil pour m'assurer que tout allait bien.

Moi: C'est gentil. On peut se parler en début de semaine, si tu veux. Je suis pas mal sûr que je serai moins vert et plus bavard rendu là.

Julianne: OK. J'attends de tes nouvelles, alors. Repose-toi bien!

Moi: Merci. Bonne journée!

Julianne: Alex?

Moi: Oui.

Julianne: J'ai hâte de te voir.

Moi: Oh. C'est gentil. Oui, moi aussi. *Bye!*

J'ai raccroché en soupirant. Je me sentais vraiment mal, et cette fois-ci, ce n'était pas lié aux maux de ventre.

Manu (en surgissant derrière moi, un autre téléphone à la main): Bravo, Alex. Je pense que tu viens de toucher le fond du baril.

Moi (en me tournant vers elle, abasourdi) : Tu
écoutes mes conversations, maintenant ?
Manu : Oui. J'étais curieuse de savoir ce que
Léa avait à te raconter. Jusqu'à ce que je
réalise que ce n'était pas elle qui était à l'autre
bout du fil, mais plutôt la fille de Québec avec
qui tu n'es plus censé être en contact.
Moi : Ce n'est pas ce que tu penses, Manu...

Elle m'a défié du regard. Je ne pouvais pas lui
mentir.

Moi : OK, j'avoue. Je l'ai revue.
Manu : Combien de fois ?
Moi : Une.
Manu (d'un air suspicieux) : Alex ?
Moi : *Fine*. Deux fois.
Manu : Est-ce qu'elle connaît l'existence de Léa ?
Moi : Non, mais à ma défense, Julianne et moi
n'avons jamais parlé d'exclusivité.
Manu : Es-tu con, ou quoi ? Une fille qui t'écrit
tout le temps et qui t'appelle un samedi après-
midi parce qu'elle s'inquiète pour toi, sais-tu
comment ça s'appelle ?

Moi : Une maman ?

Ma soeur m'a fusillé du regard.

Manu : Non, épais ! Ça s'appelle une blonde !
Cette fille s'est visiblement amourachée
de toi, et tu ne peux pas jouer avec ses
sentiments comme ça !
Moi (en levant les mains) : OK, OK ! J'ai
compris !
Manu : Et est-ce que Léa sait que tu parles
secrètement à une autre fille ?
Moi (en poussant un petit soupir
d'exaspération) : Non. Mais je ne crois pas que
ça lui fasse un pli.
Manu (en s'assoyant sur un tabouret) :
Pourquoi tu dis ça ?
Moi : Parce qu'elle est super distante avec moi
depuis mardi. Je ne la comprends plus. Un jour,
on tripe ensemble et je vois dans ses yeux que
je ne la rends pas indifférente, et l'autre, elle
m'évite comme si j'étais pustuleux et elle se
rapproche d'Éloi.
Manu : Ton ami ?

Moi: Ouais. C'est comme s'il existait une sorte de connexion intellectuelle entre eux, et que moi, je devais me contenter des restes. C'est sûrement à cause de mon physique de plage. Ma beauté éblouit tellement les filles qu'elles ont de la difficulté à creuser plus loin.

Elle m'a dévisagé.

Manu: Et pourquoi as-tu gardé le contact avec Julianne? Pour satisfaire ton ego?
Moi (sur la défensive): Pantoute! J'étais vraiment motivé à me concentrer sur Léa. Le problème, c'est qu'elle n'a pas l'air de partager mon enthousiasme.
Manu: Et qu'apparemment, tu n'as toujours pas cassé avec Julianne...
Moi: Je ne lui ai pas écrit, non plus. J'espérais justement...
Manu (en m'interrompant): Qu'elle comprenne toute seule et qu'elle te laisse tranquille sans que tu aies à avoir de conversation pénible avec elle?
Moi: Genre.

Manu m'a regardé en serrant les poings.
Je pouvais sentir qu'elle bouillonnait de
l'intérieur.

Manu (en me donnant une bine sur le bras):
Mais tu es TELLEMENT lâche! Ce n'est pas
comme ça qu'on traite les filles!
Moi (en me défendant du mieux possible):
Ayoye! Arrête! Tu me donnes mal au ventre.
Manu (en me regardant d'un air sérieux):
Sérieux, Alex. Ça ne se fait pas.
Moi: Je sais, mais...
Manu (en se levant d'un bond et en
m'interrompant): C'est toujours comme
ça, avec toi! Tu joues à l'autruche au lieu
de faire face à tes responsabilités. Tu me
décourages! Moi qui pensais que tu avais fait
du cheminement!
Moi (en baissant les yeux): C'est bon, j'ai
compris. Je vais parler à Julianne.
Manu: Non seulement ça, mais tu vas
immédiatement aller te confier à ton journal.
Moi: Je ne peux pas. J'ai la gastro.

Elle m'a envoyé un regard noir.

Manu : C'est ton âme qui est malade.

J'ai soupiré. Je savais que je n'étais pas en position de m'obstiner avec elle. Je suis donc monté à ma chambre pour te faire un long résumé de ma vie. Le pire dans tout ça, c'est que je sais que Manu a raison. J'ai été vraiment *cheap* avec Julianne, et il faut absolument que j'aie une conversation honnête avec elle.

Sur ce, je vais te laisser, car mon père m'attend pour commencer notre marathon de *La Guerre des étoiles*.

C'est une tradition qui existe depuis que je suis petit. Chaque fois que j'étais malade et que je devais rester à la maison, on s'installait ensemble pour regarder Luke Skywalker, la princesse Leia, Han Solo et leurs acolytes lutter contre l'Empire et Dark Vador. On a donc décidé de tirer profit de cette gastro pour revoir la nouvelle trilogie, au grand

désespoir de Manu qui aurait préféré une
comédie romantique.

Désolée, la soeur, mais tu ne peux pas gagner
toutes les batailles!

A.

Chapitre 8 :
Coeur d'artichaut et rotoculteur

J'ai vraiment vécu tout un lot d'émotions depuis samedi.

Récapitulons. Après avoir passé vingt-quatre heures à baver devant la télé avec mon père et Manu et à m'en tenir à un régime liquide, j'ai enfin senti que je reprenais des forces dimanche soir. Brigitte me l'a d'ailleurs fait savoir quand elle est entrée dans ma chambre.

Brigitte : Toc ! Toc ! Je te dérange ?
Moi : Oui, mais ça m'arrange. Je suis tanné d'étudier mes maths.
Brigitte : As-tu un examen cette semaine ?
Moi : Mercredi. Et mon super virus a visiblement anéanti mes cellules cérébrales.
Brigitte (en me souriant) : En tout cas, tu as vraiment meilleure mine qu'hier. Et ton père m'a dit que vous vous étiez bien amusés malgré tout ?

Sa remarque m'a fait réaliser que c'était la première fois depuis des années que Manu, mon père et moi, nous nous retrouvions seuls tous les trois pendant plus de vingt-quatre heures, et que notre quarantaine nous avait en effet permis de passer de bons moments; comme quand mon père et moi avons décidé de regarder le troisième film de la trilogie après le match de hockey, même si nous crevions de fatigue. Ou quand Manu a voulu nous concocter sa recette de «macaroni réparateur d'estomac» et qu'elle a réussi à faire brûler ses pâtes. Ou quand mon père et moi avons pris un malin plaisir à nous moquer de ma soeur lorsqu'elle parlait à son *chum* avec des coeurs dans la voix. Ou quand nous nous sommes tous les trois installés près du foyer ce matin pour nous réchauffer un peu en nous racontant des blagues.

Moi: Oui. C'était cool. À part pour la gastro. Et toi?
Brigitte: Ça m'a tellement fait du bien de décrocher! Tu n'as pas idée! Sans compter

que ta mère et moi avons eu beaucoup de plaisir au Centre Bell. Je ne suis pas fan de hockey comme toi, Patrick ou ton père, mais l'ambiance est tellement le *fun* là-bas que tu n'as pas le choix d'embarquer!

Moi : Et j'imagine que le blanchissage des Canadiens a aidé à faire lever le party.

Brigitte : Mets-en! On a même continué à faire la fête une fois rentrées chez Isa! Léo s'était endormi dans le lit des jumelles. Ils étaient tellement *cute* à voir!

Moi : Et tu n'as toujours pas de symptômes?

Brigitte (en touchant du bois) : Non! Je crois que les années de Léo en garderie m'ont immunisée!

Elle a toussoté avant de fermer discrètement la porte derrière elle et de s'avancer vers moi.

Brigitte (en parlant tout bas) : Il y a autre chose dont je voulais discuter avec toi...

Moi (les yeux ronds) : Tu es secrètement une *geek* et tu feras l'exam de maths à ma place?

Brigitte (en souriant) : Je peux essayer, mais l'échec te guette.

Elle a baissé le ton davantage.

Brigitte : Je voulais plutôt te parler de ton père. Tu sais qu'il a un gros anniversaire qui s'en vient ?
Moi (en me tapant le front) : *My God !* J'avais oublié que c'était sa fête dans un peu plus d'une semaine !
Brigitte : Ouais. Et cinquante ans, ça se souligne en grand ! Il m'a répété mille fois qu'il ne voulait rien faire, mais j'en parlais à Isabelle hier, et on s'est dit qu'on pourrait tous se réunir au chalet pour l'occasion.
Moi : On passerait Noël là-bas ?
Brigitte : Oui. Ce n'est quand même pas de la faute de ton père s'il est né un 25 décembre !
Moi : Tu as raison. C'est la faute de mes grands-parents.
Brigitte : Alors, est-ce que je peux compter sur ta présence ?
Moi : Évidemment.

Brigitte : Super ! Et ne dis surtout rien à ton père, car c'est une surprise. Il croit qu'on va simplement passer le réveillon à trois au chalet. J'ai hâte de voir sa tête quand on débarquera là-bas et qu'il vous verra tous réunis !

Elle est sortie de ma chambre en sautillant de joie. J'ai quant à moi décidé de refermer mes manuels de maths pour éviter une surchauffe cérébrale.

Hier, je suis parvenu à faire ma composition de français de peine et de misère, mais j'ai dû annuler mon entraînement de hockey parce que je me sentais encore trop faible.

Ce n'est qu'en me réveillant ce matin que j'ai senti que j'avais enfin retrouvé la forme. J'ai déjeuné et je suis parti pour l'école d'un pas décidé. Ma conversation avec Manu m'avait occupé l'esprit au cours des derniers jours, et j'étais déterminé à résoudre mon équation amoureuse.

C'est d'ailleurs ce que j'ai tenté de faire ce midi à la sortie de la cafétéria.

Moi : Salut, Léa!
Léa (en sursautant) : Allo, Alex!
Moi : Ce sont les verbes irréguliers d'anglais qui te rendent aussi fébrile?
Léa : Ouais. J'ai passé une nuit blanche à essayer de les mémoriser, mais c'est comme si mon cerveau refusait de les intégrer.
Moi : Je comprends. Le mien a le même blocage avec les cosinus.

Elle a souri.

Moi : As-tu deux minutes? J'aimerais ça te parler de quelque chose.
Léa (visiblement nerveuse) : Euh, en fait, j'ai encore pas mal d'étude à faire, et Jeanne m'attend pour réviser. Est-ce qu'on peut faire ça une autre fois?
Moi (déçu) : OK.

Elle m'a fait un signe de la main avant de décamper dans l'escalier. C'était évident qu'elle m'évitait. C'est là que j'ai compris ce que Julianne devait sentir depuis une semaine.

En rentrant chez moi, j'ai donc pris mon courage à deux mains et je l'ai jointe sur Skype.

Julianne (en ouvrant sa caméra et en me voyant à l'écran) : Salut, le grand malade ! Comment vas-tu ?
Moi : Mieux. Mais c'est ma semaine d'examens alors je n'ai aucune vie sociale.
Julianne : Et tu prends quand même le temps de m'appeler ? Wow ! Je suis flattée...
Moi (en souriant) : Il faut bien que je m'accorde des pauses. Et je m'arrange généralement pour qu'elles soient agréables.

Relaxe, dude. Lâche la drague. N'oublie pas le but premier de ton appel.

Julianne (en riant): Ça me rassure! Je commençais à croire que tu m'avais oubliée ou abandonnée pour une autre.

J'ai ravalé ma salive.

Julianne: Ça va? T'es blême, tout à coup.
Moi: Euh, oui. C'est juste des restants de secousses de ma gastro. Mais, euh, c'est ça. Je voulais t'appeler et... te dire que tu es belle. Et te dire allo.
Julianne: Tu es gentil.

Ma soeur est alors apparue dans ma chambre en gesticulant frénétiquement.

Moi: Euh, Julianne, je te rappelle dans deux minutes. Ma soeur est en train de faire une crise d'apoplexie.

J'ai raccroché et je me suis tourné vers Manu en fronçant les sourcils.

Moi: Qu'est-ce que tu veux, encore?

Manu (en s'assoyant sur mon lit) : T'encourager
à lui dire la vérité !
Moi : Et tu pensais que je l'appelais pour quoi ?
L'inviter à célébrer Noël avec nous ?
Manu : Avec toi, on ne sait jamais.
Moi (en soupirant) : Je vais lui parler, OK ?
J'essaie juste de trouver les bons mots.
Manu : Ce n'est pas en tournant autour du pot
et en la complimentant qu'elle va comprendre
le message.
Moi : Dégage. J'ai besoin de ma bulle.
Manu : Non. Tu as besoin de moi.

J'ai soupiré. Elle n'avait (malheureusement)
pas tort.

Manu (en me regardant droit dans les yeux) : Il
faut simplement tirer sur le pansement.

Je l'ai regardée d'un air inquisiteur.

Manu : Casser avec quelqu'un, c'est comme
arracher un *plaster*. Il faut que tu fasses ça vite
et d'un seul coup.

J'ai éclaté de rire.

Moi : Tu devrais faire ta thèse de doctorat là-dessus.
Manu : Allez, rappelle-la avant de te dégonfler.

J'ai pris une profonde inspiration et j'ai cliqué sur le nom de Julianne. Elle a répondu à la première sonnerie.

Julianne (en apparaissant à l'écran, l'air inquiet) : Est-ce que ta soeur va bien ?
Moi : Plus ou moins. Je crois que ce n'est pas facile pour elle de se mesurer à un demi-dieu comme moi.

Manu m'a discrètement donné un coup de pied sur le tibia.

Moi : Aïe !
Julianne : Et où en étions-nous ?
Moi : Euh, je... te disais que tu étais belle. Et aussi allo.

Manu s'est assise à côté de l'ordinateur pour me faire face. Elle a aussitôt soulevé un carton dans les airs.

ARRÊTE DE TOURNER AUTOUR DU POT ET CRACHE LE MOTTON!

Moi: C'est toi, le motton!
Julianne: Pardon?
Moi: Rien, je pensais à ma soeur.

Julianne m'a dévisagé tandis que j'essayais de frapper Manu avec mon pied. Cette dernière a rétorqué en brandissant un autre carton.

RÉPÈTE CE QUE JE DIS.

Moi: «Ce que je dis».
Julianne: Hein? Je ne comprends plus rien.

Manu a griffonné une autre phrase sur son carton.

JULIANNE, IL FAUT QUE JE TE PARLE.

Moi (en ravalant ma salive) : Julianne, il faut qu'on parle.
Julianne : Je t'écoute.

Ma soeur a rapidement écrit la suite avant de soulever le carton au-dessus de sa tête.

Moi : Il y a quelque chose que je ne t'ai pas dit.
Julianne : Tu as huit ans ?
Moi : Non. Vingt-deux.

Julianne a souri et ma soeur m'a fait de gros yeux avant d'écrire une autre phrase.

ARRÊTE D'ÊTRE PISSOU ET DIS-LUI LA VÉRITÉ.

Julianne (en plissant les yeux) : Qu'est-ce qui se passe, Alex ? Tu m'inquiètes.
Moi (en me mordant la lèvre inférieure) : En fait, ç'a un lien avec quelque chose que tu as dit un peu plus tôt...
Julianne : Quoi, ça ? Que tu es adorable même si tu termines à peine ton primaire ?

Moi (en me sentant de plus en plus *cheap*):
Ha! Je pense que tu vas me trouver moins *cute*
dans quelques minutes.

Elle a froncé les sourcils et j'ai pris une
profonde inspiration.

Moi: Je t'ai caché quelque chose. En plus de
mon âge, je veux dire.

J'ai ravalé ma salive avant de poursuivre.

Moi: Quand je t'ai connue, j'avais déjà un oeil
sur une fille de mon école.
Julianne (en détournant les yeux): Oh, je vois.
Moi: Mais je te jure qu'il ne s'était encore rien
passé entre nous.
Julianne: Ça veut dire quoi, ça?
Moi: Que les choses ont un peu évolué depuis.
Julianne: Qu'est-ce que tu essaies de me dire,
exactement? Que tu as une autre blonde?
Moi: Euh, non. Je n'ai *aucune* blonde.

Julianne m'a dévisagé avant de secouer la tête.

Julianne : OK. Alors, moi, je ne suis qu'une distraction, c'est ça ?
Moi : Ce n'est pas ce que j'ai voulu dire...
Julianne : Je sais qu'on n'a jamais rendu ça officiel, Alex, mais j'aurais quand même aimé ça que tu aies la décence de m'avertir que ça n'irait nulle part, notre affaire. Comme ça, je n'aurais pas perdu plus d'un mois de ma vie avec un prépubère immature.

Ouch.

Moi : Je... suis désolé.
Julianne : Tes excuses ne changent rien au fait que tu as profité de moi pour essayer d'oublier ta Léa.

J'ai sursauté. J'étais certain de ne lui avoir jamais mentionné le prénom de Léa.

Je l'ai confrontée du regard, puis elle a esquissé un petit sourire machiavélique. C'est là que j'ai compris qu'elle avait bel et bien lu mon journal.

Julianne : Si tu veux mon avis, Alex, je pense que ta soeur a raison. Le divorce de tes parents t'a visiblement traumatisé et je crois que c'est ça qui te pousse à faire de mauvais choix en amour. Comme *cruiser* Marianne, le *kick* de ton ami Éloi. Ou t'acharner sur une fille qui ne veut visiblement rien savoir de toi au lieu de saisir ta chance avec moi.

Moi : Ce que tu as lu, c'était personnel, Julianne. Tu n'avais pas d'affaire à mettre ton nez là-dedans.

Julianne : Pff! Je tombe sur le journal intime d'un gars qui refuse de m'inviter à dormir dans sa chambre d'hôtel et tu penses que je vais me priver?

Moi : Oui! Ça s'appelle le respect de l'intimité!

Julianne : Tu n'es vraiment pas en position de me faire la morale.

J'ai secoué la tête, sous le choc.

Moi : Il y a une chose que je ne comprends pas. Si tu savais que Léa m'intéressait depuis le début, pourquoi tu m'as relancé?

Julianne (en haussant les épaules): Parce que j'espérais être la fille qui allait te changer. C'est con, hein? Je voulais être celle qui allait «ouvrir ton autoroute émotive.» En passant, tu diras à ta soeur que ses expressions sont vraiment ratées.

Manu a crispé la mâchoire et serré les poings. Elle était sur le bord d'éclater.

Moi: Et là, on fait quoi? Qu'est-ce que tu espères retirer de tout ça?
Julianne: Honnêtement? Un peu de dignité. Ce qui ne sera pas évident après m'être fait *flusher* par un enfant de quatorze ans qui a besoin des conseils débiles de sa soeur pour vivre.

C'en était trop. Manu s'est levée d'un bond et s'est postée devant la caméra. J'ai alors vu la surprise dans les yeux de Julianne.

Manu: C'est moi que tu traites de débile?
Julianne (en s'efforçant de garder son aplomb): Non. Ce sont tes conseils.

Manu: Écoute-moi bien, chose! Tu as encore des croûtes à manger pour te permettre de me juger. Surtout que j'ai toujours été de ton bord. Quand Alex t'a soupçonnée d'avoir lu des bribes de son journal, je lui ai dit que ce n'était pas une mauvaise chose, puisque ça lui permettrait de fréquenter une fille qui le connaissait vraiment. Et lorsque je me suis rendu compte qu'il éprouvait des sentiments pour Léa, j'ai été la première à lui dire d'être honnête avec toi. Je sais que mon frère n'est pas toujours vite à réagir et qu'il n'a pas été super correct là-dedans, mais il n'est pas un mauvais gars. La preuve, c'est qu'il ne te manquerait jamais de respect comme tu l'as fait. C'est vraiment tordu de violer l'intimité de quelqu'un et de s'en servir contre lui. D'ailleurs, je vais te donner un dernier conseil avant de te raccrocher au nez: laisse mon frère tranquille. Si jamais j'apprends que tu l'as contacté, tu auras affaire à moi, et tu verras à quel point je peux être «débile».

Elle a éteint la caméra et s'est tournée vers moi. J'étais sans mot.

Moi : Manu, je... Wow. Merci de t'être portée à ma défense. C'est vraiment cool de ta part.

Elle s'est alors avancée vers moi et m'a donné une claque derrière la tête.

Moi : Hey ! Pourquoi tu me tapes ? Je n'ai rien fait de mal !
Manu : À part niaiser Julianne ! Si tu lui avais dit la vérité dès que tu avais allumé à propos de Léa, on n'en serait pas là !
Moi : *Bullshit !* Tu sais comme moi qu'elle aurait réagi de la même façon.

Manu a soupiré et s'est laissée tomber sur mon lit.

Manu : Ouais. Peut-être.
Moi (en m'assoyant à côté d'elle) : En tout cas, je ne t'ai jamais vue engueuler quelqu'un comme ça avant.
Manu (en replaçant sa chemise) : Ça, c'est parce que je suis généralement en contrôle de mes émotions. Une bonne psy ne se serait

pas laissé atteindre comme ça. J'ai manqué
d'objectivité.

Moi : *Come on*, Manu ! Je suis ton frère ! C'est
normal que ça te fasse réagir.

Manu (en secouant la tête) : J'ai quand même
manqué de professionnalisme.

Moi (en haussant les épaules) : *So what?* Je suis
juste ton cobaye.

Elle a esquissé un petit sourire.

Moi : Je sais que je passe mon temps à dire que
tes conseils sont niaiseux, mais je ne le pense
pas vraiment. Je crois même que tu feras une
excellente psy.

Manu (en me regardant, surprise et émue) :
Pour vrai ?

Moi : Oui. La preuve, c'est que j'ai réalisé que
ton projet n'était pas si débile que ça.

Manu : Qu'est-ce que tu veux dire,
exactement ?

Moi : Que mon journal m'a aidé à prendre
conscience de certaines choses qui me
dérangent.

Manu: Comme le fait que Léa soit distante
avec toi?
Moi: Entre autres.

Elle m'a lancé un regard de biais.

Manu: C'est à propos de papa, hein?
Moi: Qu'est-ce qui te fait dire ça?
Manu: Tes remarques pendant la journée de
la gastro. Je ne savais pas que ça te blessait
autant qu'il ne puisse pas souvent assister à
tes matchs.
Moi: Ce n'est pas juste ça...
Manu: Veux-tu m'en parler?
Moi: J'aimerais mieux pas.
Manu: Peux-tu au moins l'écrire dans ton
journal?
Moi: Je vais voir ce que je peux faire.

Elle s'est levée et s'est dirigée vers la porte.

Moi: Merci, Manu. Pour Julianne, et tout le
reste.
Manu: De rien.

Elle est sortie de ma chambre et j'ai penché la tête vers l'arrière pour fixer le plafond.

La vérité, c'est que, même si que je m'acharne à répéter que la théorie de Manu à propos de mon blocage émotif est bidon, je suis forcé d'admettre qu'elle a un peu raison sur un point. Même si la séparation de mes parents s'est bien déroulée et que tout le monde vit dans l'harmonie, je crois que ç'a tout de même laissé des séquelles entre mon père et moi.

Contrairement à ce que pense Manu, je ne suis pas fâché qu'il se soit séparé de ma mère. Mais j'ai de la peine qu'il se soit éloigné de moi.

Quand j'étais petit, c'était mon père et moi envers et contre tous. Nous étions les Han Solo et Chewbacca du Plateau Mont-Royal. Lorsqu'il a quitté la maison, j'ai dû m'adapter au fait de ne le voir qu'une semaine sur deux, mais il compensait en m'accordant le double d'attention.

Mais quand il a finalement refait sa vie avec Brigitte et qu'il a eu Léo, c'est comme si j'avais été relégué au second plan. Je sais qu'il m'aime, qu'il ne le fait pas de mauvaise foi et que c'est tout à fait normal qu'il doive aussi s'occuper d'eux, mais je ne peux pas nier que ça me blesse, des fois.

Voilà, c'est dit. Manu sera contente. Mais là, j'ai vécu assez d'émotions en une journée. Sans compter que je dois ménager les quelques cellules qui me restent pour déchiffrer les cosinus dans moins de dix heures.

A.

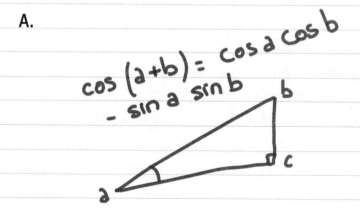

Jeudi 17 décembre, 22 h 44

Les choses vont un peu mieux depuis deux jours. Premièrement, je me sens beaucoup plus léger depuis que j'ai parlé à Julianne, d'autant plus qu'elle m'a retiré de sa liste d'amis Facebook et de ses contacts Skype sans faire d'histoires. Les menaces de ma soeur ont eu l'effet escompté.

Deuxièmement, Léa a arrêté de me traiter comme un microbe pustuleux et s'est même excusée quand je l'ai confrontée à son attitude, hier midi.

Moi (en m'assoyant à côté d'elle à la cafétéria) : Salut ! Ça va ?
Léa (les yeux ronds comme des vingt-cinq sous) : Hey ! Salut, Alex ! Mmm... ben... oui... euh, non... ben, euh...
Moi : Toutes ces réponses ?
Léa (en souriant) : Ce que j'essaie de dire, c'est que je vais bien, mais que je suis un peu

stressée parce que j'ai des examens toute la
semaine.
Moi : Moi aussi, mais j'essaie de ne pas trop
capoter avec ça.
Léa : Peux-tu me donner ton truc ?
Moi (en me collant un peu contre elle, un
sourire aux lèvres) : Avec joie. Veux-tu qu'on
en discute après l'école ?
Léa (en rougissant) : Euh... Ha ! Ha ! C'est gentil,
mais je dois vraiment étudier ce soir.

OK. C'en était trop. J'en avais assez des
excuses bidon. Je me suis donc assis à
califourchon sur le banc pour lui faire face.

Moi : Qu'est-ce qui se passe, Léa ?
Léa : Qu'est-ce que tu veux dire ?
Moi : Je ne suis pas aveugle, t'sais. Tu es froide
depuis la semaine dernière. Est-ce que tu me
trouves trop collant ? Parce que si c'est ça, je
vais te donner de l'espace...
Léa (en m'interrompant) : Non ! Ce n'est pas ça
du tout... Excuse-moi, Alex. C'est le stress qui
me rend bizarre. Et je te jure qu'avec tous mes

travaux, je ne peux vraiment pas me libérer cette semaine, mais on pourra se voir vendredi au party de Jeanne ? On pourrait même y aller ensemble, si tu veux.

Moi (en souriant) : Cool ! Je te laisse étudier, alors. *Bye*, la *nerd* !

Je lui ai donné un petit baiser sur la joue avant de rejoindre José au gymnase.

José (en me lançant le ballon de basket) : Tu es en retard.

Moi (en dribblant) : Désolé. J'avais un petit truc à régler.

José : Si c'est encore Léa Olivier qui te fait des misères, tu n'as qu'à le dire à Maude. Elle se fera un plaisir de la remettre à sa place.

Moi : Laisse ta blonde en dehors de ça, s'il te plaît. Léa n'a rien fait de mal.

José (en lançant le ballon dans le panier) : À part niaiser mon *bro* ?

Moi (en souriant) : C'est moi, ça ?

José (en me passant le ballon, pince-sans-rire) : Non. C'est Éloi le *nerd*.

Moi : Léa ne me doit rien.
José : En tout cas, elle fait de la peine à Sophie.

Je l'ai dévisagé avant de faire un panier.

Moi : *Dude*, lâche-moi avec ça. Sophie ne m'intéresse pas, et je crois avoir été très clair avec elle.
José (en riant) : Je suis juste le messager de ma blonde.
Moi : Dis-lui donc de se concentrer sur sa propre relation au lieu de s'en faire pour moi.
José : Qu'est-ce qu'elle a, sa relation ?
Moi (en riant) : Rien. À part qu'elle sort avec le pire crosseur de l'école.

José a plissé les yeux et m'a déjoué avant de faire un panier.

José : Tu confonds tout, *man*. Je suis juste un grand romantique.
Moi : C'est pour ça que tu tombes amoureux de toutes les filles ?
José : *Exactamente !*

J'ai ri et je l'ai bousculé amicalement pour me rendre jusqu'au panier. Nous avons joué jusqu'au son de la cloche, puis je suis passé en vitesse à mon casier pour récupérer mes livres de sciences.

Éloi (en arrivant à côté de moi): Salut! J'ai tellement hâte que la semaine finisse!
Moi: Moi aussi. Si j'étudie une journée de plus, je pense que je vais tomber dans le coma.
Éloi: Ouais, c'est ce qui arrive aux gens moins intelligents. Leur corps s'éteint pour éviter une surchauffe cérébrale.
Moi (en riant): Épais!
Éloi: Viens-tu au party de Jeanne, vendredi?
Moi (en lui faisant un crochet avec mon bras et en lui frottant les cheveux avec mon poing): Ben oui! Pas question que je rate la fête de mon *bro*!
Éloi (en se débattant pour se défaire de mon étreinte): Arrête, *man*! Tu vas me dépeigner!
Moi (en le lâchant et en éclatant de rire): Désolé! Si tu veux, tu peux aller voir Lydia. Elle a un miroir dans son casier. Elle a aussi

un baume à lèvres et du mascara, si tu veux te refaire une beauté.

Éloi m'a défié du regard en esquissant un sourire machiavélique, puis il a saisi son foulard et l'a enroulé pour essayer de me fouetter les jambes.

Moi (en sautillant partout pour éviter les coups): *Dude!* Ça fait mal!
Éloi (pince-sans-rire): Oh, désolé! Je ne te savais pas aussi fragile!

Maude s'est alors approchée de nous et nous a dévisagés, une main sur la hanche.

Maude: Encore en train de vous battre pour Léna la ratée?

Son allusion à Léa m'a fait perdre mon sourire, et j'ai senti Éloi se raidir à côté de moi.

Éloi: Son prénom est Léa. Et je suis tanné que tu t'acharnes sur elle.

Maude: C'est *cute* que tu la défendes, mais ce ne serait pas plutôt la *job* d'Alex? Parce qu'aux dernières nouvelles, c'est lui qui la *frenchait* en cachette.
Éloi: Tu es vraiment une peste.

Il a pris ses livres, il a refermé son casier d'un coup sec et m'a salué d'un signe de la main avant de s'éloigner.

Moi (en me tournant vers elle): Est-ce que c'était vraiment nécessaire?
Maude: Oui. Je me fous du *nerd,* mais je suis tannée que tu perdes ton temps avec elle. D'ailleurs, j'ai une fille parfaite à te présenter.
Moi: Laisse-moi deviner? Elle s'appelle Sophie?
Maude (en grimaçant): Pff. Rien à voir. Elle est mille fois plus belle.
Moi: C'est gentil pour ton amie, ça.
Maude (en haussant les épaules): Je m'en fous. Tout ce que je veux, c'est que tu passes à un autre appel. Léna ne te mérite pas. Elle *fitte* beaucoup mieux avec le petit intello du journal.

Je me suis contenté de secouer la tête, puis je me suis rendu au local de sciences. Après l'examen, je suis rentré chez ma mère en métro où j'ai été accueilli par les cris de joie de Camille et Juliette.

Camille : Alex ! On s'en va au pôle Nord !
Juliette : C'est le père Noël qui nous invite !

Patrick est apparu derrière elles, un sourire aux lèvres.

Patrick : Mais n'oubliez pas qu'il faut être sage pour être reçu chez lui.
Camille : Moi, je suis toujours gentille.
Juliette : Moi, je ne suis jamais tannante.
Moi (en les dévisageant) : C'est vrai que vous êtes des anges.
Camille : Non ! Nous sommes des lutins de Noël !
Juliette : Moi, je suis une fée.
Camille (en la bousculant) : Non ! C'est moi la fée.

Patrick: Du calme, les filles! Sinon, j'appelle le père Noël et j'annule tout!

Moi (en le regardant avec un sourire aux lèvres): Il a enfin le téléphone? À mon époque, on devait lui envoyer une lettre par la poste!

Patrick: Ouais. Il a un super plan de cellulaire.

Moi: Cool. Je vais pouvoir lui texter pour lui demander quelque chose de très important.

Camille et Juliette: Quoi?

Moi (en prenant une voix terrifiante et en courant vers elles pour les attraper): Des pièges à fées!

Les jumelles se sont mises à hurler et sont montées dans leur chambre pour se cacher.

Patrick (en me faisant de gros yeux): Tu es cruel.

Moi: Alors, c'est quoi cette histoire de pôle Nord?

Patrick: Je voulais ajouter un peu de magie à notre expédition au chalet.

Moi: Et tu ne crois pas qu'elles seront déçues de réaliser que le père Noël ne cohabite pas vraiment avec mon père et Brigitte?

Patrick (en me donnant une tape sur l'épaule) :
Non, car avec ton super déguisement, elles n'y
verront que du feu ! En passant, ta mère a son
party de bureau ce soir. On se commande de
la pizza et on essaie de convaincre les jumelles
d'aimer le hockey ?
Moi : *Deal !*

Finalement, Manu et Julien se sont aussi
joints à nous, et le chaos familial m'a permis
de mieux digérer la défaite crève-coeur des
Canadiens en prolongation.

Bon, je te laisse. Il est tard et je dois relire un
texte de français pour demain. Mon dernier
devoir de l'année !

A.

Je n'arrive pas à dormir et ça m'énerve.

Tu devineras à ma bonne humeur que le party chez Jeanne ne s'est pas déroulé aussi bien que je l'aurais voulu. Les choses avaient pourtant bien commencé. Je me suis rendu chez Léa vers 19 h. Elle m'a invité à rejoindre son frère et Katherine dans le salon.

Félix (en me tendant la main) : Salut, *man* !
Moi : Salut, Félix.

Katherine m'a embrassé sur les joues et la mère de Léa est apparue de nulle part.

La mère de Léa : Tiens, quelqu'un que je ne connais pas !
Moi (en rougissant) : Bonsoir, madame. Je m'appelle Alex. Je suis, euh, un ami de Léa.
La mère de Léa (en me souriant) : Je sais. Elle m'a parlé de toi.

Hum. Elle parle de moi à sa mère. C'est plutôt bon signe, non?

Moi: En bien, j'espère?
Félix: Non, *man*. Léa passe son temps à chialer et *bitcher* contre toi.
Katherine (en lui faisant de gros yeux): *Babe*, arrête ça! Tu vas le mettre mal à l'aise.
Moi: C'est correct, Kath. Ça m'en prend plus que ça.

Félix a alors reçu un message texte.

Katherine (en fronçant les sourcils): Ce n'est pas une de tes groupies, j'espère?
Félix: Non. Juste Éloi qui m'informe de prendre mon temps puisqu'il n'y a encore personne chez Jeanne. Ce qui ne m'étonne pas, puisqu'un vrai party ne commence pas avant 22 h.
Léa (en roulant les yeux): Excuse-moi, monsieur-je-suis-trop-cool-pour-vos-partys. Est-ce que tu pourras survivre si on part dans quinze minutes?

Félix : Sérieux, ce n'est pas un peu *loser* de se pointer aussi tôt ?

Léa : Au contraire. C'est *loser* de se pointer tard pour essayer d'avoir l'air cool.

Félix (en tapotant sur son cellulaire) : Je vais texter Édith pour voir ce qui se passe ce soir.

Katherine (en soupirant) : On a déjà des plans, Félix.

Félix : Ouais, mais quand tes amis iront se coucher, on pourra se joindre à mes amis qui feront le party ailleurs.

La tension était palpable. Mon regard a croisé celui de Léa. Je la sentais aussi mal à l'aise que moi. Je lui ai demandé un verre d'eau et je l'ai suivie dans la cuisine, question de me retrouver seul avec elle.

Moi (en lui donnant un petit coup de coude) : T'es *cute*, ce soir.

Léa (en rougissant) : Merci.

Moi : Alors, contente d'être en vacances ?

Léa : Mets-en ! En plus, on part au mont Tremblant faire du ski. Ça va faire du bien de prendre l'air. Et d'avoir une petite pause des nunuches.

Moi : Maude et sa gang te font encore la vie dure ?

Léa : Je te dirais que c'est pire depuis que Marianne a cassé avec Éloi et que toi et moi... sommes devenus amis.

Moi : Elles sont jalouses. Laisse-les faire.

Léa : Ç'a tellement l'air plus simple pour vous.

Moi : Qui ça ? Les Alex de ce monde ?

Léa : Non. Les gars en général. Vous ne tombez jamais dans le potinage et les *bitcheries*.

Moi (en bombant mon torse) : Non. Nous, on passe direct aux coups.

Léa : Ouin. Vu de même, ce n'est pas tellement mieux.

J'ai ri. Sa mère est alors venue nous interrompre.

Sa mère : Félix et Katherine vous attendent dans l'auto.

Léa : Tu lui as prêté ta voiture ?

Sa mère : À condition qu'il ne touche pas à une goutte d'alcool. Bonne soirée ! Ne rentrez pas trop tard.

J'ai enfilé mon manteau et j'ai suivi Léa à l'extérieur. J'ai alors aperçu un sac cadeau sur la banquette arrière.

Moi (en souriant) : C'est pour Éloi ?
Léa : Oui. J'espère qu'il va l'aimer.
Moi (du tac au tac) : Si ça vient de toi, je suis pas mal sûr qu'il va triper.

Elle a souri.

En arrivant chez Jeanne, nous avons été accueillis par Marianne et Lydia.

Marianne (en dévisageant Léa) : Je ne savais pas que les rejets étaient invités.

Jeanne est alors apparue derrière elles et s'est portée au secours de Léa.

Jeanne : Marianne, lâche mes invités. Sinon, c'est toi qui vas être expulsée.

Elle a ensuite posé un bonnet de Noël sur nos têtes et nous a invités à descendre au sous-sol. Lydia, Sophie, Maude et Marianne se sont jointes à nous, et Léa en a profité pour retrouver Éloi dans un coin de la salle de séjour.

Je n'ai pu m'empêcher de ressentir une petite flèche au coeur en les voyant rire ensemble.

Maude (en surgissant à côté de moi) : Je te l'avais dit que c'était une cause perdue.
Moi (en feignant l'innocence) : De quoi tu parles ?
Maude : De la ratée et du *nerd*. Laisse-les vivre leur relation de rejets et concentre-toi sur Marguerite.
Moi : C'est qui, ça ?
Maude : Une amie de Marianne et moi qui est célibataire et qui tripe sur toi depuis qu'elle a vu ta photo dans mon téléphone.

Moi : C'est flatteur, mais je ne cherche pas de blonde.
Maude (en plissant les yeux) : C'est qui, *elles* ?

Elle avait les yeux rivés sur deux filles clairement plus âgées qui venaient de faire leur entrée.

Moi (en les observant) : Des amies de Félix Olivier.

Ce dernier a alors fait signe à Éloi de se joindre à lui, et j'ai sauté sur l'occasion pour me rapprocher de Léa.

Moi (en me postant devant elle) : Salut !
Léa : Salut !
Moi : Je t'ai déjà dit que tu étais vraiment belle, ce soir ?
Léa (en rougissant de plus belle) : Oui. Mais merci encore.

Une chanson quétaine a aussitôt commencé à jouer, et des couples se sont amassés dans le milieu de la salle de séjour pour danser un *slow*. Le regard de Léa était planté sur Éloi et l'une des amies de Félix qui étaient maintenant collés l'un contre l'autre. Elle a alors saisi ma main et elle m'a attiré vers le plancher de danse. C'était évident qu'elle m'utilisait pour rendre Éloi jaloux. J'ai soupiré et j'ai desserré mon étreinte.

Il était temps de voir la réalité en face et d'assumer son choix. Léa éprouvait des sentiments pour Éloi. C'est lui qui avait remporté l'équation mathématique. Mon côté du triangle était inférieur au sien, et l'accepter me faisait plus mal que je l'aurais pensé.

Après le *slow*, Léa m'a souri, puis elle est allée s'asseoir auprès de Katherine et de son frère. J'en ai profité pour sortir dans la cour et reprendre mes esprits. Jeanne est venue me rejoindre quelques instants plus tard.

Jeanne (en me regardant d'un drôle d'air) : Qu'est-ce que tu fais là, tout seul ?

Moi: J'avais chaud et j'avais envie de prendre l'air.

Jeanne: Es-tu sûr que c'est juste ça? Tu as une drôle de face.

Moi: C'est une façon de me dire que tu me trouves beau, ça?

Jeanne: Au moins, tu n'as pas perdu ton sens de l'humour!

Moi: Et toi, qu'est-ce que tu fais ici?

Jeanne: Je... cherchais quelqu'un.

Moi: Si tu parles d'Alexis, il devrait arriver d'une minute à l'autre.

Jeanne: Pff! Du tout! Je parlais de... quelqu'un d'autre.

Moi (en haussant un sourcil): Jeanne, c'est correct d'avoir un *kick* sur un gars.

Jeanne (en riant): Regarde qui parle!

Moi: Ça veut dire quoi, ça?

Jeanne: Que ça fait trois ans qu'on se connaît, et que je ne t'ai jamais vu avec une blonde.

Moi (en haussant les épaules): C'est trop compliqué pour moi.

Jeanne (souriant): Je te comprends. J'ai une hantise des relations de couple.

Moi (en lui faisant un *high five*) : C'est sûrement pour ça pour qu'on s'entend aussi bien, toi et moi.
Jeanne (en frissonnant) : Bon, tu viens ? On va allumer les bougies sur le gâteau d'Éloi.
Moi : J'arrive.

Elle a ouvert la porte.

Moi : Jeanne ?
Jeanne (en se retournant vers moi) : Hum ?
Moi : Si ça peut te rassurer, Alexis te trouve *cute*, lui aussi.

Elle a souri, puis elle m'a pris par la main pour m'attirer à l'intérieur.

Un autre *slow* jouait, et Léa était maintenant collée contre Éloi. J'ai détourné le regard.

Alexis (en apparaissant à côté de moi et en tendant la main) : Salut, *man*! Désolé du retard !
Moi : C'est bon. Tu n'as rien raté.

Ses yeux ont suivi les miens.

Alexis : Oups. J'en déduis que la bataille est terminée ?
Moi : Yep. Je me rends.

Jeanne s'est alors avancée vers Éloi en lui chantant bonne fête, et nous avons joint nos voix à la sienne. Il a soufflé les bougies, puis les gens lui ont remis des cadeaux.

Quand il a déballé celui de Léa, j'ai vu la confusion sur son visage. Il a alors soulevé une brosse à toilettes dans les airs. C'était l'objet que j'avais moi-même emballé à la va-vite en arrivant chez Jeanne pour lui faire une blague.

Léa est devenue écarlate, et Maude et sa gang ne se sont pas gênées pour se moquer d'elle.

Maude : Oh ! C'est le retour de la tomate !
Marianne : Qu'est-ce que tu espérais, Léna ? Te rapprocher de lui en récurant le bol ?

Léa : Je... euh... mais... ce n'est pas... b-bonne fête !

Moi : Eille ! C'est mon cadeau, ça ! Je me suis dit qu'une brosse à toilettes te serait toujours utile.

Éloi : C'est vrai que ça te ressemble plus. Merci, *man*.

Léa m'a soufflé un merci, et j'ai souri. J'ai passé le reste de la soirée à m'efforcer d'avoir du *fun* avec mes amis jusqu'à ce que Katherine nous annonce son départ.

Katherine : Félix est vraiment tanné, alors je pense qu'on va aller faire un tour à son autre party. Léa, veux-tu venir avec nous ?

Elle a levé les yeux vers Éloi, et j'ai bien vu sa douleur lorsqu'elle s'est aperçue qu'il quittait la fête avec Félix et la fille de secondaire 5.

Léa (en détournant les yeux) : Non. Je préfère rester ici avec Alex et Jeanne.

Katherine : Et qui va te raccompagner ?

Moi : Mon ami Alexis a son permis. Ça va nous faire plaisir de te reconduire chez toi, si tu veux.

Félix (en fronçant les sourcils) : Euh, je ne me sens pas super à l'aise de laisser ma petite soeur de quatorze ans dans une voiture avec un gars que je ne connais pas...

Léa (en interrompant son frère) : C'est gentil, Alex, mais je vais demander à ma mère de venir me chercher.

Ils sont partis et Léa m'a regardé d'un air triste avant de s'asseoir à côté de moi.

Léa : Alex, il faudrait que je te parle...

Je savais ce qu'elle s'apprêtait à m'annoncer, et je n'avais aucune envie de l'entendre. Je lui ai donc facilité la tâche.

Moi (d'un ton calme) : Ce n'est pas nécessaire. Je sais déjà ce que tu veux me dire.

Moi : Ah oui ?

Moi (en m'efforçant de sourire) : Je le vois bien
que tu n'es pas follement amoureuse de moi,
Léa. Et c'est correct. Je comprends.

Elle avait l'air à la fois surprise et soulagée que
je lui enlève les mots de la bouche.

Moi : Je trouverais juste ça vraiment plate
qu'on arrête de se parler. Il me semble qu'on a
du *fun*, ensemble.
Léa : Je suis d'accord. Et j'aimerais aussi qu'on
reste amis.

Je me suis efforcé de sourire pour masquer ma
déception.

Léa : Tu sais, Alex, ce n'est pas que tu ne
m'intéresses pas... c'est juste que... je pense
que j'ai des sentiments pour quelqu'un d'autre.
Et ça ne se contrôle pas, tu comprends ?

Tu ne sais même pas à quel point.

J'ai acquiescé et elle m'a serré contre elle. Léa est partie quelques instants plus tard, puis Alexis m'a conduit chez moi. J'ai alors ressenti le besoin de parler à ma soeur. Je suis monté au grenier et j'ai aperçu Manu qui regardait la télé dans son lit.

Moi : Je te dérange ?
Manu : Non. J'essaie de ne pas brailler en regardant les nouvelles. Ça va, toi ?

Elle s'est redressée dans son lit et m'a fait signe de m'installer près d'elle.

Manu : C'est comme quand on était petits et que tu venais me rejoindre la nuit. Tu t'en souviens ?
Moi : Vaguement. J'avais quel âge ?
Manu : C'était juste après la séparation de papa et maman. Je pense que ça te sécurisait d'être auprès de moi.

On est restés silencieux quelques instants.

Manu: Et ce soir, qu'est-ce qui me vaut ta visite?

Moi (en haussant les épaules): Je pense que j'avais envie de parler à ma psy.

Manu a ri.

Manu: Le party ne s'est pas bien passé?

Moi: Léa m'a officiellement rejeté. Je ne comprends pas pourquoi ça m'affecte autant. Après tout, on ne sortait même pas ensemble.

Manu: Ce n'est pas parce que ça n'a jamais été officiel entre vous que tu n'as pas le droit d'être déçu.

Moi: L'affaire, c'est que je ressens plus que de la déception. Je pense que j'ai de la peine.

J'ai soupiré avant de poursuivre.

Moi: Tu avais raison, Manu. Ça me gosse de l'admettre, mais c'était plus qu'un *kick*, cette fille-là. Je ne sais pas pourquoi, d'ailleurs. Après tout, on ne se connaît pas tant que ça.

Manu: L'amour n'est pas logique, *bro*.

Je l'ai dévisagée, puis j'ai éclaté de rire.

Moi: Viens-tu vraiment de m'appeler *bro*?
Manu (en souriant): Je fais mon possible pour
te remonter le moral.
Moi: Ç'a marché, merci!

Je me suis levé et me suis dirigé vers l'escalier.

Moi: Bonne nuit.
Manu: Alex? Est-ce que je peux te donner un
dernier conseil?
Moi: Si c'est d'écrire dans mon journal, ne
t'inquiète pas. Je vais le faire.
Manu: Non. Je voulais te suggérer de ne pas
te refermer simplement parce que ça n'a pas
fonctionné avec Léa. C'est bizarre à dire, mais
ça fait du bien de te voir comme ça.
Moi (perplexe): Piteux et pathétique?
Manu: Non. Sensible et ouvert. Et ce serait
cool qu'une autre fille puisse en profiter.
Moi: Manu, tout ce que ça m'a donné, c'est
de réaliser que j'avais un coeur d'artichaut. Et
comme j'ai l'impression qu'il vient de se faire

labourer par un rotoculteur, tu comprendras
que l'envie de «m'ouvrir» à une autre me tente
autant que de manger un kilo de fromage bleu.

Manu m'a regardé, puis elle a esquissé un petit
sourire.

Manu : En tout cas, moi, je ne perds pas espoir.
Moi : Bonne nuit, Manu.

Sur ce, je vais me coucher. Il est temps que
cette journée finisse.

A.

Vendredi 25 décembre, 2 h 44

Cher journal,

Je me permets de t'appeler comme ça parce que c'est la dernière fois que je t'écris. Je suis enfin libéré de toi. Ma soeur m'en a fait l'annonce il y a quelques minutes.

Après avoir passé cinq jours à digérer le rejet de Léa, j'étais plutôt soulagé de fuir la ville et de me retrouver en famille au chalet. Julien, Manu et moi sommes arrivés cet après-midi, juste après ma mère, Patrick et les jumelles.

Juliette (en bondissant hors de la voiture): Où est le père Noël?
Moi: Je crois qu'il est à l'usine avec les lutins, mais il devrait nous rendre visite au cours de la soirée.

Nous nous sommes alors empressés de décorer le chalet avec des ballons et des guirlandes tandis que ma mère et Manu préparaient le repas de Noël. Patrick a joué

quelques chansons classiques à la guitare, et
j'ai allumé un feu dans le foyer. J'avais le coeur
léger pour la première fois de la semaine.

Mon père est finalement arrivé vers 18 h. Quand
il est descendu de sa voiture en compagnie
de Brigitte et qu'il nous a tous aperçus sur la
véranda, ses yeux se sont illuminés.

Tout le monde : Bonne fête !!

Mon père est venu nous embrasser. Il avait
l'air sous le choc.

Mon père : Je vous jure que je ne m'attendais
pas à ça ! Je suis tellement content de vous
voir. J'étais justement en train de dire à
Brigitte que ça me faisait drôle de passer Noël
aussi loin de mes deux autres enfants.
Moi : Cette idée, aussi, de naître la même
journée que Jésus !

Tout le monde a éclaté de rire. Patrick a servi
le champagne, puis nous nous sommes mis
à table. Après le repas, je suis allé enfiler

mon costume de père Noël en vitesse, puis
je suis sorti par la porte arrière question de
surprendre les enfants.

Moi (en surgissant dans le chalet par la porte
de devant) : Ho ! Ho ! Ho ! J'ai des cadeaux dans
mon sac pour les jeunes qui ont été sages !

Léo m'a observé avec de grands yeux tandis
que Camille et Juliette se lançaient dans mes
bras, me faisant presque perdre l'équilibre.

Moi : Ho ! Ho ! Doucement, les coquines ! Alors,
avez-vous été sages ?
Léo, Camille et Juliette : OUI ! Et on veut nos
surprises !!

J'ai distribué les cadeaux pendant près d'une
heure, puis j'ai englouti le biscuit au chocolat
et le verre de lait offerts par Léo avant de
« reprendre la route » à bord de mon traîneau.
J'ai ensuite regagné discrètement le chalet par
la porte de derrière et je suis allé me changer

dans ma chambre. Quelqu'un a alors frappé à ma porte.

Moi : Si c'est pour le père Noël, il est en pause syndicale !
Mon père (en ouvrant la porte) : Ne t'en fais pas ! C'est mon fils que je cherche.
Moi : Tout s'est bien passé ?
Mon père : Mets-en ! Ton frère et tes soeurs ont encore des étincelles dans les yeux.
Moi : Ce qui est triste, c'est qu'ils ne se sont même pas aperçus de mon absence !
Mon père (en riant) : Ouin. Je pense que le père Noël est plus populaire que toi. Surtout quand il distribue ses cadeaux !

Il s'est alors avancé vers moi et m'a tendu une enveloppe.

Mon père : Parlant de ça, je pense que tu en as oublié un au fond du sac.

J'ai ouvert et j'ai aperçu le logo des Canadiens.

Moi (en sautant de joie) : Wow ! Tu nous as acheté des billets pour le prochain match ? Merci, papa !

Mon père : En fait, c'est encore mieux que ça. Avec un collègue, on a décidé de se prendre des billets de demi-saison et de se partager le reste des matchs. On est dans les blancs. Ce n'est pas les meilleurs sièges, mais c'est le Centre Bell.

Moi : Wow ! C'est cool, ça ! Et je suis pas mal sûr que je ne serai pas le seul qui voudra en profiter !

Mon père : Non, mais tu es le seul que je veux voir à mes côtés. Les billets sont pour toi et moi, mon grand.

J'étais sans mot.

Moi : C'est vraiment généreux, papa, mais je ne serai pas insulté si tu y vas avec d'autres personnes.

Mon père : Non. Je tiens vraiment à assister aux matchs avec toi.

Moi (en lui faisant une accolade) : Merci. C'est vraiment cool comme cadeau.

Mon père (en baissant les yeux): C'est aussi une façon un peu maladroite de me reprendre pour les parties auxquelles tu n'as pas assisté. Et tes matchs que j'ai ratés.

Je lui ai envoyé un regard inquisiteur.

Mon père: J'ai bien vu l'autre jour que tu m'en voulais de ne pas être assez présent dans les estrades.

J'ai détourné le regard.

Moi: C'est sûr que ce serait le *fun* que tu sois là un peu plus souvent pour m'encourager, mais ce que j'aimerais surtout, c'est de ne pas sentir que mon hockey est un poids pour toi.
Mon père: Je t'assure que ce n'est pas le cas.
Moi (en le regardant d'un air sceptique): Alors pourquoi passes-tu ton temps à chialer à propos du transport et des horaires?
Mon père: Parce que je vieillis. Je suis désolé, Alex. Je vais être plus compréhensif. Je peux

même jouer les chaperons dans les tournois, si tu y tiens.

Moi (en riant) : Merci, mais ce ne sera pas nécessaire. Ta présence pour les matchs réguliers fera l'affaire.

Mon père (en me prenant dans ses bras) : Je te promets de faire des efforts. Joyeux Noël, mon grand !

Il m'a embrassé et il est sorti de ma chambre. Manu est alors apparue dans l'embrasure, les yeux embués.

Moi : Tu espionnes encore mes conversations ?

Manu : Oui, mais cette fois-ci, tu vas être content que je l'aie fait.

Je l'ai regardée d'un air perplexe.

Manu : Alex, tu n'aurais jamais osé dire tout ça à papa il y a quatre mois. Je ne sais pas si tu le réalises, mais tu as changé.

Moi (sarcastique) : Mon autoroute émotive est enfin décongestionnée ?

Manu (en me prenant par les épaules et en me regardant dans les yeux) : Oui. J'ai atteint mes objectifs. J'en ai maintenant la preuve.

Moi (les yeux remplis d'espoir) : Est-ce que ça veut dire que je peux arrêter d'écrire dans mon journal ?

Manu : Oui. Je suis prête pour mon rapport final, et mes conclusions sont très positives.

Moi (en souriant) : Ça, Manu, c'est le plus beau cadeau de Noël que tu pouvais me faire.

Alors voilà, mon cher. C'est ici que nos chemins se séparent. Je ne nierai pas que tu m'as aidé à surmonter mes périodes plus sombres, ni même que tu m'en as appris sur moi-même, mais l'heure est venue de tirer un trait sur mes grandes théories et d'accorder une pause à mon coeur d'artichaut. Ce que je veux, c'est retrouver une vie normale. Sans blonde, mais avec des billets de demi-saison, des amis et une famille recomposée très intense que je n'échangerais pour rien au monde.

Alex